Édito

Imaginez que, du jour au lendemain, vous soye[...] [...]le. Forcé à marcher, sans savoir où l'on vous emmène. [...] [...] [...]la dure, que les semaines passent, et les mois. Imaginez ou plutôt lisez l'histoire de Naba et Malolabi, deux jumeaux de treize ans. Pour leur malheur, ils vivent au Mali, en Afrique, au moment où le trafic d'esclaves s'organise dans le monde. Qui mieux que Maryse Condé* pouvait raconter leur histoire ? "J'écris à propos de l'esclavage, dit-elle, parce que je veux comprendre le monde. J'écris pour trouver des réponses aux questions que je me pose. Si j'y parviens, peut-être aiderai-je aussi mes lecteurs…"

Véronique Girard, rédactrice en chef

*Maryse Condé est écrivain. Elle est aussi la présidente du Comité pour la mémoire de l'esclavage.

JOHANSEN KRAUSE

SOMMAIRE

Écrivez à Je Bouquine : 3, rue Bayard, 75008 Paris ou par e-mail à : jebouquine@bayard-presse.com ou par le site internet : www.okapi-jebouquine.com

Ce numéro comporte : un encart collecte adresse e-mail et un encart tout-en-un Okapi/Je Bouquine posés sur 4ème de couv.

Chouette, la grand-mère
à JB est chez son kiné.
Profitons-en pour faire du
bruit : parlons décibels,
parlons frissons, larmes,
mélodie, danse, rage…
Bref, parlons musique !

Julia

Bonne Humeur Mauvaise

Alors là, comment as-tu osé me dire que tu as été DEPASSÉ par l'actualité ! Mais "M" c'est quoi alors ? C'est peut-être pas de l'actualité, "M" ? Ah la la… Je veux bien me faire choper par la grand-mère de JB si c'est le prix pour obtenir quelque chose sur "M". **ANNE-SOPHIE**

On est impardonnable. Depuis le temps où il a été le président de notre concours de poésie et où on l'a interviewé, nous ne l'avons jamais remis au cœur de nos pages musique. C'est une honte. Quelqu'un va payer pour ça. Quelqu'un va se retrouver entre les mains de la grand-mère. Quelqu'un va apprendre à conjuguer le subjonctif présent de souffrir en 23 langues.

PAR ICI
LA BONNE
SOUPE…

De :	Aglaï, 14 ans, Verdun (55)
Message : Dis donc, JB, tu parles de beaucoup de trucs super (Dionysos, Anaïs). Mais "M" ? "M", c'est le chanteur le plus original, le plus créatif, le plus intelligent, le plus mieux, quoi.
Re : … que je souffre, que tu souffres…

Plein de gens disent que les radios comme NRJ, c'est nul. Moi, si je n'avais pas commencé à écouter NRJ en 6ème, j'en serais encore à Henri Dès. Grâce à elle, j'écoute aujourd'hui des choses très diversifiées comme Tryo, Kyo, Indochine, Green Day, Nirvana… **MARION, 12 ANS**

Si tu as pu entendre Tryo et Nirvana sur NRJ, c'est parce que, bien avant elle, d'autres radios ont choisi de diffuser ces groupes lorsqu'ils n'étaient pas connus. Nous n'aimons pas NRJ parce qu'elle fonctionne à la notoriété (et donc à l'argent), ce qui n'a pas grand-chose à voir avec la musique. Le jour où tu voudras aller plus loin dans tes découvertes, tout naturellement, tu quitteras cette radio (et toutes celles qui la copient) pour aller vers celles qui sont plus orientées "musique-passion". Henri Dès, c'est très chouette. Je vous assure, vous êtes mieux avec lui qu'avec Pokora. **Dr Mözz**

Ah, JB ! Ami de tous mes instants, ami aimé, ami... Je n'avais aucun reproche à te faire mais, depuis quelque temps, une chose me trotte dans la tête et... enfin, JB ! Tu n'as pas parlé UNE seule petite fois des Ogres de Barback ! **LOLO**

Maintenant, ça fera une fois. Grâce à toi.

De : tit'bouguie, 13 ans
Message : Tu parles de plein d'artistes et de groupes complètement déments, mais tu n'as jamais mentionné Norah Jones, immense artiste douée d'une voix exceptionnelle.
Re : *Si fait... mais juste évoquée. C'est pas assez.*

THE STROKES ! Et leur dernier album "First Impressions Of Earth" !
ALEXANDRA 15 ANS.
Oui ! Oui ! Un très grand disque !

Où sont le nom et les trois CD de Raphael, chanteur miraculeux et poétique ? Il faudra travailler dur pour re-valoir à mes yeux le titre de super magazine.
ALIÉNOR, 11 ANS, BELGIQUE.
On avait parlé de la sortie de son disque "Caravane" en citant même, je crois, un extrait de chanson. Même si cet album est magnifique, on trouve qu'il n'a rien écrit de plus beau que la chanson "Sur la route" chantée avec J.-L. Aubert, extraite de l'album précédent "La réalité".

Si tu parlais un peu de Calogero ?
Je l'ai fait, mais oh... tout à coup ma chaîne est tombée en panne. Et le disque est resté coincé dedans. Et le réparateur-décoinceur a eu un accident. Et du coup, son entreprise a fait faillite. Et comme c'était l'entreprise qui fabriquait ma chaîne.... Dès que j'ai récupéré le disque, on verra. Dr Mözz.

Mauvaise Humeur Bonne

De : Adeline, 12 ans
Message : Horreur et putréfaction... Vous avez toujours rien dit du dernier album de Tikenjah Fakoly, "Coup de gueule" ! Comment avez-vous pu oublier le seul chanteur de reggae capable de remplacer Bob Marley ?
Re : *Si Marley est remplaçable, Fakoly n'est sans doute pas le seul à pouvoir le faire. N'empêche, "Coup de gueule", sorti en 2004, réjouira les fans de reggae.*

Cher JB, cela fait maintenant un an que je connais le groupe espagnol "The Sunday Drivers" qui chante en anglais.
Et j'attends que tu parles d'eux !
Leur pop rock qui sonne un peu rétro me délasse bien. Très efficace au petit déjeuner. Essayez vite !

Pourquoi ne parlez-vous pas de James Blunt ? Quand je dis que j'adore ce chanteur, on se moque de moi... **DIANA, 10 ANS**

C'est fait ! Mais ne t'inquiète pas... Si ceux qui se moquent de toi écoutent du r'n'b, Pokora ou Pigloo, tu n'as pas trop à t'en faire, c'est normal : ils font ça parce qu'ils en ont marre... qu'on se moque d'eux. Plus sérieusement : la célébrité finit toujours par agacer et générer des quolibets.

J'ai lu le JB 266 et j'ai essayé de trouver un CD de Craig Two. En vain.
En effet, suite à notre article, tous les cd de cet artiste ont été vendus ! Mais non... c'était un poisson d'avril !

Envoyez-nous une photo de vous (drôle, grimaçante, étonnante...). Si elle est publiée, vous recevrez un livre en cadeau. N'oubliez pas de joindre un mot de vos parents autorisant la rédaction à la publier.

PAT'BOL PAR ANNE GUILLARD

La place qui tue.

DANS UNE FAMILLE AVEC TROIS SŒURS, LA PLACE LA PLUS POURRIE C'EST CELLE-LÀ :

NOÉMIE (GRANDE SŒUR)

MOI (MOYENNE SŒUR)

ZAZA (PETITE SŒUR)

...Y EN A TOUJOURS QUE POUR LA GRANDE SŒUR QUI SE PREND POUR UNE STAR...

... FIGURANTE DANS LE PROCHAIN "NAVARRO" ??! OH, MA CHÉRIE, JE SUIS SI FIÈRE DE TOI!!!

...OU POUR LA PETITE PARCE QU'ELLE EST TROP MIGNONNE...

...CHÉ MEUGNON ! MÈCHE PAS CHUR LA TÊTE KIFO METTRE CHA COUCHE MON POUSSIN !!

...PAR CONTRE MOI, TOUT LE MONDE S'EN FOUT, C'EST COMME SI J'EXISTAIS PAS...

BON, PATRICIA, AU LIEU DE ROUSPÉTER, VA PLUTÔT RANGER LES COURSES À LA CAVE...

AHLALA, CES ADOS....

...OUAIS, SAUF POUR LES TÂCHES MÉNAGÈRES LÀ ON SE RAPPELLE QUE J'EXISTE..

...MAIS JE SUIS SÛRE QUE SI JE DISPARAISSAIS PENDANT UN MOIS, PERSONNE ICI NE S'EN APERCEVRAIT...

YOUHOUUUUU !!

...P'PA ??? ÇA FAIT LONGTEMPS QUE T'ES À LA CAVE?!

...ÇA M'A PRIS VINGT-NEUF JOURS, SEPT HEURES ET QUINZE MINUTES, MAIS J'AI TERMINÉ LE NIVEAU DOUZE DE "WARRIOR CONQUEST" !!! VICTOIRE !!!

Dicsours impraboble

Mesdesoimelles, medsames, messiuers.

Pour commennecr, je vourdais vous dire de ne pas vous inquiéter. Pour ma part, soyez absuloment cetrains que je n'érpouve pas la moindre inquitéude, et par consuéqent je ne vois absuloment pas puroquoi vous en érpouveriez à ma place. Je vous remrecie de votre attnetion.

Avez-vous remraqué (je me premets de vuos le singaler en psasant, sans inssiter, comme un simple fait d'évidnece) que vous parnevez à me lire et à me comperndre avec, finelament, un miminum de diffucilté ? D'où porvient donc ce très étannont phémonène ?

Des lingiustes très savants prétnedent que c'est à cuase de la preception glabole que nous avons tous losrque nous lisons des mots. Soit. On peut amdettre leur expliction. Mais, si vous vuolez mon avis, la riason essneteille de votre cacipaté à me comperndre malrgé tout tient à votre expiréence depius si lontgemps acculumée.

Voilà poruquoi, en conlcusion, je tiens absuloment à préssneter mes fécilitations les plus vives et les plus empersées à vous, medsames et messiuers les porfesseurs de français, que de longues années d'enesignement dans les cèlloges et les lycées ont formé au déffrichage des dylsexies diverses et autres jagrons amdirables.

Du fnod du cuœr, cermi.

Jean-Noël Blanc

Bonjour ! une braguette s'il vous plaît,

Désolé, je n'ai plus que des biscrottes !

LE DICONOGRAPHE

Vous avez bien aimé les diconographettes, ces définitions construites autour de mots inventés (JB 265). En voici quelques-unes, envoyées par des lecteurs et... par une classe qui travaillait sur le même projet : le Dictio ! Juste... génial ! Une idée : si vous continuez à nous en envoyer, on pourrait les publier régulièrement et un jour, pourquoi pas... en faire un dico ! Chiche ?

A

ANICLOPUSSE [aniklopyss] n.f. de l'espagnol *aniclopissil* **1. Vieux dinosaure.** *L'aniclopusse tuait souvent les autres dinosaures.* **2. Nom d'une fleur.** *Ses fleurs préférées sont les aniclopusses.* **3. Sorte de veste.** *J'adore me vêtir d'une aniclopusse.*

B

BALOUB [balub] n.m. du russe *baloubos* **1. Capitale de la Baloubie.** *Je suis allé à Baloub.* **2. Ballon ayant la forme de la Baloubie.** *On a joué au baloub.* **3. Balle qui fait "oub" quand on tape dedans.** *J'ai eu un baloub pour Noël.*

C

CARATACA [karataka] n. m. du suisse *caratacau* **1. Scène de danse pour les chanteurs. 2. Grande guitare électronique. 3. Grand bateau faisant le trajet France-Angleterre.**

COUBOULECAMESKA [kubul@kam ska] n.m. de l'algérien *couboulecameskos* **1. Maison russe.** *Un Russe habite dans une couboulecameska.* **2. Biscuit normand.** *Les biscuits des Normands sont les couboulecameskas.* **3. Chaussure chinoise.** *Les chaussures chinoises s'appellent les couboulecameskas.*

E

EUX [ø] n.m. **1. Jeu.** *Je joue avec mes eux.* **2. Mini réfrigérateur pour mettre des hamburgers.** *Je pars avec mon eux en camping.* **3. Tableau.** *Il y a un eux sur le mur.*

G

GIRACRUEL [Zirakry l] adj. **1. Se dit d'une personne qui crie comme un dauphin.** *Ma mère est en colère, elle est giracruelle.* **2. Se dit d'une chose qui est laide.** *Ma robe est giracruelle.* **3. Se dit d'un animal qui est de couleur bleue.** *Mon chien est giracruel !*

M

MENTOGLANDER : Faire croire à son prof de maths qu'on a fait son exercice alors qu'on sait parfaitement tous les 2, que l'exercice n'a pas été fait. Synonyme: mentir sans y croire. *Ex: "Eh bien Richard, si d'ici ce soir tu n'as pas fait ton exercice page 34, tu vas devoir mentoglander, et tu passeras encore ton mercredi en retenue !"* Nina, 13 ans

N

NAVORET [navor t] *n.f. de l'espagnol navoretas* **1. Animal sauvage se rapprochant du cheval.** *Une navoret chartreuse.* **2. Machine distribuant de l'eau.** *La navoret ne marche plus.* **3. Pays près de la Chine.** *La capitale de Navoret est Mépare.*

T

TÉLÉBUGGATION : Regarder des séries et des dessins animés à la télé en faisant croire à ses parents que l'on regarde des émissions culturelles pour soi-disant se trouver une future vocation . *Ex :"Richard, tu ferais mieux de télébugger avec ton livre de maths plutôt qu'avec la télé."*

Marie, 14 ans, Les-Clayes-sous-bois

W

WOOLER [wule] *n.m du grec woolate* **1. Appareil qui fonctionne avec des piles. 2. Avion très lent. 3. Toute petite maison bizarre.**

Mis à part les diconographettes de Nina et Marie, toutes les autres sont extraites du Dictio 605 (Ed. Alphat), par la classe de 6ème du collège Jean-Macé, de Calais. Un grand merci à madame Linda Dumont.

ILLUSTRATION : DIEGO ARANEGA

focu PAR DIEGO ARANEGA

TU NE DIRAS PAS

t'as un physique repoussant !

TU DIRAS PLUTÔT

je suis persuadé que l'amitié garçon/fille sans arrière-pensées ça peut exister

TU NE DIRAS PAS

t'es vraiment bâti comme une bouse

TU DIRAS PLUTÔT

t'as l'air d'aimer le contact avec la verdure

TU NE DIRAS PAS

t'es vraiment le pire des radins !

TU DIRAS PLUTÔT

toi quand même t'es le roi des bonnes affaires

SUDOKU. カカカカ

				5	3		1	
3	2	4					7	5
		6		7	9			8
	3	1	5		2			9
2	4	9				1	5	6
8			1		4	7	2	
4			7	2		8		
1	5					3	4	7
		7		3	4			

2005 © SudokuFactory.com

Mode d'emploi : Une grille de sudoku se compose de neuf carrés de 3 x 3 cases, appelés "régions". Le but du jeu est de compléter la grille afin que chaque ligne, chaque colonne et chaque région contienne tous les chiffres de 1 à 9 une fois et une seule. Aucun calcul n'est nécessaire !

Vrai ou faux ?

Le mot bidoche, nom vulgaire de la viande, vient de Madame Bidoche, qui était cantinière aux Halles, à Paris, à l'époque de Napoléon Bonaparte.

Brillez en récré !

"Un raseur est un homme qui parle sans arrêt de lui quand j'ai envie de parler de moi."
Sacha Guitry (écrivain français)

"Quand on ne travaillera plus le lendemain des jours de repos, la fatigue sera vaincue."
Alphonse Allais (humoriste français)

Que collectionne le philuméniste ?

A- Des boîtes d'allumettes
B- Des timbres
C- Des pièces de monnaie

CONCEPTION : DANIELE ROISIN-DA

Qu'est-ce que...

Être flavescent ?
> "Tirer" sur la couleur jaune.
> Être tout mou.

Un pédologue ?
> Un spécialiste des sols.
> Un spécialiste des pieds.

Un rapin
> Un élève d'un atelier de peinture.
> Quelqu'un qui commet des actes de rapine.

Solutions

Rapin : élève peintre.
spécialiste des sols.
Pédologue:
le jaune –
Flavescent : tire sur
A
Le philuméniste :
et pas chère.
de mauvaise qualité
vendait de la viande
Vrai, Mme Bidoche

9	7	8	3	4	1	5	6	2
1	5	2	7	6	8	9	4	3
4	3	6	2	5	9	8	1	7
8	9	5	1	8	4	7	2	6
2	6	7	5	3	2	4	9	1
5	1	4	6	9	7	2	3	8
3	2	1	9	7	5	6	8	4
6	8	9	4	2	3	1	7	5
7	4	3	8	1	6	3	5	9

ROMAN

MARYSE CONDÉ

"Chiens fous dans la brousse" nous plonge dans la tourmente de l'esclavage, mais quand on demande à Maryse Condé ce qui était pire, l'esclavage ou le colonialisme, elle répond : "Je vais vous surprendre et choquer certains, mais la colonisation a été plus dommageable. L'homme noir, même enchaîné, a gardé sa créativité, a forgé partout où il a été déporté, une musique, une littérature, une culture. Tandis que la colonisation a contraint les Noirs à abandonner leur culture, leurs traditions, leurs pensées." Née en 1934 en Guadeloupe, elle est la dernière d'une famille de huit enfants. À l'adolescence, c'est la révolte : "J'étais boudeuse, méchante, et je faisais peur à tout le monde ! En fait, sans le savoir, j'étais complètement aliénée. J'étais certes de nationalité française, mais je n'avais pas encore compris le racisme, le gouffre qui me séparait des Français blancs. Je pensais en même temps que la "vraie" littérature des Caraïbes devait s'écrire en créole, que les écrivains noirs qui écrivaient en français, étaient des "traitres". Aujourd'hui, j'ai balayé tout cela." Pour en arriver là, le chemin de l'écrivain est passé par un premier mariage, un long séjour en Afrique, un divorce et un deuxième mariage bien plus heureux. Maintenant, Maryse Condé est une femme sereine, qui veut surtout écrire "le plus possible", en français, sans complexe, car elle sait "qu'une langue appartient à celui qui sait s'en servir".

Maryse Condé est présidente en France du Comité pour la mémoire de l'esclavage. Elle vit aux États-Unis, à New York, où elle est professeur Emeritus à Columbia University.

CHRISTEL ESPIÉ

"Ce texte m'a fascinée car il est rare que l'on vous raconte ces moments-là dans l'histoire de l'exclavage, c'est-à-dire le moment du rapt, de l'enlèvement des êtres humains. C'est très violent. L'esclavage, la traite des Noirs, c'est une des périodes les plus sombres de l'histoire, dont il faut rappeler l'atrocité. Que cette tragédie sépare des frères jumeaux rend ce texte encore plus bouleversant. À la fin du roman, j'avais envie de connaître la suite ! Comme je n'avais jamais travaillé sur l'Afrique, j'étais heureuse d'avoir l'occasion d'imaginer ces personnages et aussi de créer des paysages grandioses."

CHIENS FOUS DANS LA BROUSSE

de Maryse Condé
illustré par
Christel Espié

Cette histoire
se passe au Mali
au XVIIIe siècle.

CHAPITRE 1

Le milieu du jour est le moment où la brousse vit intensément. On croit que, le soleil l'ayant beaucoup échauffée, elle s'assoupit. Au contraire. Les brins d'herbe, les insectes, les arbustes s'interpellent. L'air se charge d'électricité et vibre d'une multitude de cris.

Les chasseurs venaient de Ségou. La grande cité, capitale du royaume bambara*, se trouvait située sur les bords du fleuve Niger. Ils étaient à la recherche du lion ou des lions qui avaient attaqué des troupeaux autour du village de Surutu. Ils étaient conduits

*Peuple qui habite l'actuel Mali.

par Tiéfolo, dont tout le pays chantait les exploits. Ce n'était pas quelqu'un d'ordinaire, Tiéfolo. À dix ans, il avait disparu pendant trois jours. On l'avait cherché partout en vain. Ses parents le pleuraient quand il avait reparu, à la fin de la journée, la dépouille d'un lion jetée en travers des épaules. Il l'avait tué tout seul avec son arc et ses flèches. Les adultes, incrédules, l'avaient alors entouré, battant des mains. Un chœur avait jailli de toutes les poitrines pour célébrer sa bataille avec le prince de la savane. Aujourd'hui encore, le chant était connu de tous :

Le lion au reflet fauve
Le lion qui délaissant les biens des hommes
Se repaît de ce qui vit en liberté
Corps à corps, Tiéfolo
Tiéfolo de Ségou
Encore un enfant
L'a défait.

Tiéfolo ne s'était pas arrêté là. Depuis, on ne comptait plus ses victoires. Il avait appris les prières, les incantations et les sacrifices qui permettent de sortir vainqueur de tous les combats avec les animaux. Devenu un homme, il allait, le torse nu, couvert de grigris destinés à le protéger, le pantalon fait d'un assemblage de peaux de bêtes. En guise de ceinturon, il nouait autour de ses reins la crinière du lion qu'il avait abattu à dix ans.

L'allure des chasseurs était vive, car Tiéfolo avait décidé d'atteindre Surutu avant la nuit. Il avait emmené avec lui deux de ses fils, les jumeaux Naba et Malobali : ils se ressemblaient tellement que seul l'œil averti de leur mère les distinguait l'un de l'autre. Tous les autres hésitaient : "C'est qui, celui-là ?"

Naba et Malobali étaient grands et forts pour leur âge. À treize ans, on leur en donnait quinze. Cependant, il ne fallait pas se fier aux apparences.

De l'avis de leur père, ils étaient trop gâtés, sensibles, presque efféminés. Ils haïssaient la chasse et avaient la vue du sang en horreur. D'ailleurs, ils l'accompagnaient de fort mauvaise grâce, ils auraient préféré rester à Ségou. Ils ne demandaient pas mieux que de passer le temps accrochés au pagne de leur mère à écouter, avec leurs cadets, les contes dont elle les abreuvait.

Même s'il ne les avait jamais entendus, Tiéfolo savait que ses fils composaient des poèmes qu'ils récitaient en s'accompagnant à la kora*, comme de vrais griots**. Que ferait-il de ces deux bons à rien ?

*Instrument de musique qui rappelle la guitare.

**Chanteur-conteur-poète traditionnel.

SURUTU ÉTAIT ENCORE LOIN, et à chaque pas, la chaleur augmentait. On aurait dit qu'un linge humide et brûlant vous collait au corps. Naba s'arma de courage et murmura :

— Fa, si on s'arrêtait ? J'ai faim.

— Je n'en peux plus ! renchérit Malobali.

Leur père les regarda avec mépris et répondit sèchement :

— Nous nous arrêterons au prochain village.

N'osant protester, les jumeaux étouffèrent un soupir et continuèrent de marcher. À présent, le sol était couvert d'une croûte dure qui se fendillait par endroits. Les oiseaux fonçaient sur des proies invisibles. Un troupeau de bœufs, au pelage roux tacheté de blanc, s'avança lourdement, encadré par ses bergers abrités sous de larges chapeaux coniques. Ceux-ci saluèrent poliment les chasseurs, mais ils ne purent les renseigner : oui, ils avaient entendu parler des lions qui dévastaient les environs ; mais la région se plaignait surtout de ce que de redoutables bandes incendiaient les villages, violaient et tuaient les femmes, puis emmenaient les hommes au loin, vers la côte, à ce qu'on disait. Pour quoi faire ? Les bergers l'ignoraient. Intrigués, les chasseurs reprirent la route. Ainsi que Tiéfolo l'avait décidé, ils arrivèrent à Surutu peu avant la nuit.

C'était une agglomération prospère, à l'ombre de ses manguiers chargés de fruits. Le chef du village les reçut avec courtoisie, comme des hôtes de marque. Sur son ordre, des calebasses circulèrent, les unes remplies de vin de palme, les autres de riz agrémenté d'une sauce savoureuse. Des musiciens exécutèrent des airs au balafon* et à la kora… Cependant, malgré l'atmosphère détendue, le chef du village ne cachait pas son inquiétude. S'il s'apprêtait à envoyer une délégation à Ségou auprès du mansa**, ce n'était pas à cause des lions. C'est qu'il lui fallait des soldats pour protéger Surutu : des bandes razziaient les alentours, elles mettaient le feu aux villages, enlevaient les habitants… À quel peuple appartenaient-elles ? D'où venaient-elles ? Le chef n'en savait pas plus que les bergers.

*Instrument de musique qui rappelle le xylophone.

**Roi.

CETTE MYSTÉRIEUSE VIOLENCE EFFRAYA NABA. Bien sûr, ses

parents l'avaient déjà mis en garde contre les rapts d'enfants commis par les Touaregs, les hommes du désert, les "chiens fous dans la brousse", comme on les appelait. Les sédentaires les avaient toujours redoutés. On racontait qu'ils mettaient leurs captifs au travail dans leurs oasis parce qu'ils n'aimaient pas l'agriculture. Mais cette fois, le chef du village avait parlé d'incendies, de viols, d'assassinats… C'était sûrement le fait d'étrangers. Pas des Touaregs.

Au bout d'un moment, Malobali chuchota à l'oreille de son frère :
– Tu sais ce que j'ai entendu ? Le griot Fama sera cette nuit dans le village voisin, à ce qu'on m'a dit. Et il récitera la geste de Ségou !

Les yeux de Naba s'arrondirent. Fama ? Le nom était familier dans tout le pays bambara. On assurait que sa voix chaude et profonde rendait les oiseaux jaloux et les suspendait dans leur vol.

Les jumeaux coururent vers leur père, mais il les rabroua. Pas question ! Ils n'étaient pas venus à Surutu pour écouter un griot ! Demain, ils repartaient à la poursuite des lions, et la journée serait longue. Il fallait qu'ils rentrent se coucher au plus vite pour reprendre la route à l'aube.

La case offerte aux visiteurs se trouvait un peu en dehors du village.

Malgré la porte close, on y voyait comme si c'était le jour, car la lune était pleine, aussi ronde que la joue d'un enfant. Ses rayons s'infiltraient par tous les interstices et illuminaient les visages des chasseurs.

Naba ne pouvait dominer un sentiment de rancœur à l'égard de son père. Placer la chasse, la poursuite des lions, au-dessus d'une rencontre avec Fama, le plus grand des plus grands ! Quand serait-il en âge d'agir à sa guise ? De choisir ses distractions ? De chanter et de jouer de la musique des heures entières s'il le voulait ?

C'est alors que Malobali, apparemment endormi sur une natte, se releva. Il vint se pencher sur lui et souffla :

— Ils dorment tous. Nous pouvons y aller.

— Où ça ?

— Écouter le griot, voyons !

C'était bien une idée de Malobali ! Sur ce point, l'apparence était trompeuse. Si Malobali ressemblait à Naba, il était plus audacieux, plus aventureux. Capable de désobéir et de n'en faire qu'à sa guise, sans se soucier des interdictions des adultes.

Naba observa son père. La bouche ouverte, Tiéfolo ronflait. Il semblait moins intimidant ainsi, mais était-il bien endormi ? Comme il ne bougeait pas, ronflant en mesure, Naba suivit son frère et se glissa au-dehors.

LES JUMEAUX N'AVAIENT JAMAIS EU PEUR DE LA NUIT. Au

contraire. Ils la préféraient au jour étouffant, impitoyable. Surtout quand la lune la poétisait, promenant sur le contour de toute chose son doigt lumineux. Leur mère pensait qu'il y avait une raison à cela. S'ils aimaient la noirceur, c'est qu'ils étaient nés pendant une nuit opaque d'octobre où il pleuvait des cordes. Il devait avoisiner les deux heures du matin quand elle avait dû faire appeler la matrone*.

*La sage-femme.

La brise nocturne rafraîchissait l'air. Les cases se tassaient l'une contre l'autre, comme si elles avaient peur. Naba marchait sans entrain. Il aurait pu s'opposer à son frère, refuser de partager ses bêtises. Il aurait pu lui objecter qu'il était peu sage de s'aventurer seuls dans une région qu'ils ne connaissaient pas. Mais il n'osait pas.

Les jumeaux quittèrent donc Surutu et s'engagèrent le long d'un chemin bien entretenu qui circulait autour des cases. Leurs pas résonnaient dans le silence. Soudain, un bruit de galopade les fit tressaillir. Un troupeau de porcs sauvages déboula devant eux, comme s'il était poursuivi. Qu'est-ce qui l'avait effrayé ?

Naba et Malobali regardèrent autour d'eux. Mais ils ne virent rien de suspect. Tout semblait paisible, les arbres emmêlaient tranquillement leurs branches avec leurs feuilles. Le quadrillage des champs de mil et des champs de coton s'étendait à perte de vue, encadré par de hautes herbes.

Ils continuèrent leur route. C'est alors que des formes sortirent de l'ombre des talus et bondirent sur le chemin. Des hommes ? Des esprits ? Des fauves ? Naba n'eut pas le temps de répondre à ces questions. Il reçut un coup violent sur les mollets et s'affala comme un sac vide. Son nez laboura le sol, sa bouche s'emplit de brins d'herbe. Au moment de tomber, il cria :

– Malobali !

Seuls une plainte et un bruit de chute lui répondirent. Un coup plus violent l'atteignit à la nuque. Cette fois, mille étoiles dansèrent devant ses yeux. Il perdit connaissance.

Naba revint à lui dans une case sale et misérable. Malobali n'était plus avec lui. Trois enfants de sept ou huit ans, ligotés eux aussi, gisaient à ses côtés. Une vague de terreur le submergea. Il comprit qu'il était tombé entre les mains de ces redoutables voleurs d'enfants dont sa mère lui avait parlé. Où se trouvait son frère ?

Des heures d'angoisse s'écoulèrent. Enfin, une main écarta les branchages qui obturaient la porte de la case. Quelqu'un entra. Naba distingua la silhouette d'un gringalet. Pas plus de quinze ans. Le torse nu, couturé de cicatrices et marqué de traces de coups. Naba essaya de se redresser et demanda :

– Est-ce que tu es un Bambara ?

Le garçon secoua la tête.

– Non, mais parle. Je comprends ta langue.

– Où est Malobali ?

L'autre répondit :

– Malobali ? Qui est-ce ?

– Mon jumeau. Écoute-moi, poursuivit vivement Naba, aide-moi. Je suis de Ségou, où mon père est un maître chasseur très connu, très riche. Si tu me ramènes à la maison, il te donnera tout ce que tu lui demanderas.

Le garçon se mit en demeure de réveiller les autres enfants à coups de pied.

– Ton père posséderait-il tout l'or du monde que je ne pourrais rien pour toi, ricana-t-il. Mon maître a l'intention de te vendre à des trafiquants qui vont te revendre à des Blancs.

– Des Blancs ! s'écria Naba.

Il n'avait jamais vu de Blancs, mais il en avait beaucoup entendu parler. Quelques mois auparavant, Malobali et lui s'étaient même précipités sur la grand-place de Ségou, face au palais, car un Blanc rendait visite au mansa. Malheureusement, la foule des curieux était telle qu'ils n'avaient pu s'approcher.

– Pourquoi vont-ils me vendre à des Blancs ? s'écria-t-il, terrifié.

– Les Blancs veulent des esclaves et les paient un bon prix, fit le garçon d'un ton sentencieux.

– Mais je suis un chasseur, fils et petit-fils de chasseurs ! s'exclama Naba. Je ne suis pas un esclave.

Le garçon eut un geste qui signifiait qu'il ne comprenait pas grand-chose à tout cela. Ou qu'il n'y pouvait rien. C'était le nouvel ordre du monde.

À ce moment, quatre hommes entrèrent, portant des fusils, et à l'épaule des carquois bourrés de flèches. Considérant les enfants, ils firent la moue :

– Mauvaises prises ! Ils sont trop maigrichons, ils ne résisteront pas au voyage.

Ils parlaient bambara ! Ce n'étaient donc pas des étrangers ! L'un d'eux désigna Naba.

– Sauf celui-là !

Il s'approcha de lui, s'accroupit et lui examina la langue, les dents, le blanc des yeux et l'intérieur des oreilles ainsi qu'on fait à un animal au marché. Naba le supplia :

– Dites-moi où est mon frère, je vous en prie.

L'autre haussa les épaules.

– Comment veux-tu que je le sache ?

Là-dessus, il le mit rudement sur ses pieds et cria à la cantonade :

– Celui-là, je le prends. Avec un peu de chance, j'en tirerai ce que je veux.

– Où m'emmenez-vous ? bégaya Naba.

Pour toute réponse, l'autre lui lia les poignets avec une corde et, d'une bourrade, l'envoya valser vers la porte.

CHAPITRE 2

Dans le bon matin, Ahmed lança son pied droit dans les fesses de Hassan, son assistant, et celui-ci ouvrit les yeux. Connaissant l'humeur irritable de son maître, il se mit vivement debout.

— Replie la tente ! lui ordonna Ahmed. Je vais m'occuper du chargement. Nous n'avons pas de temps à perdre, il faut prendre le chemin de Fès avant qu'il fasse trop chaud.

Ahmed était tellement satisfait qu'il sifflotait entre ses dents. Il avait fait l'acquisition de trois garçons, trois solides gaillards. Avec les peaux d'animaux et l'ivoire qu'il avait aussi achetés, les trois lui seraient d'un excellent rapport.

Le commerce, c'était une tradition dans la famille d'Ahmed. Depuis le XVIe siècle, les siens chargeaient des caravanes de produits qu'ils se procuraient dans les environs du fleuve Niger et revendaient de retour à Fès, au Maroc. Sa famille se vantait d'avoir ainsi fourni les souverains espagnols en girafes et en esclaves d'Afrique noire.

Ahmed sortit. Le soleil se levait, déjà aveuglant, mais encore supportable. Dans quelques heures, marcher serait un supplice. Des dunes, des dunes qui moutonnaient à perte de vue.

Ahmed s'approcha des trois adolescents qu'il avait achetés la veille. Ils gisaient à même le sable, pieds et poignets liés. Deux d'entre eux pleuraient comme de tout petits enfants, avec des sanglots bruyants. Ahmed les bourra de coups de pied, histoire de les consoler. Le troisième, l'air farouche, ne pleurait pas. C'était le jeune chasseur que les "chiens fous dans la brousse" lui avaient amené. Ils étaient pressés de s'en débarrasser parce qu'il faisait partie d'une paire. Deux garçons en tous points semblables. Même taille. Même corpulence. Même couleur. De quoi porter malheur… Les Touaregs, qui redoutaient le mauvais œil, avaient jugé prudent de les séparer. Ils avaient vendu l'autre à un marchand bambara. Grâce à cela, Ahmed avait eu le sien à moitié prix. Une bonne affaire.

Comme il l'observait, Malobali lui dit d'une voix pressante :
— Si c'est de l'argent qu'il vous faut, ma famille vous en donnera autant que vous voudrez.

Ahmed lui tourna le dos. Il ne parlait que l'arabe et pouvait tout juste compter, pour conclure des affaires, dans une ou deux langues africaines.

Malobali se rendit compte qu'il ne pouvait attendre aucune sympathie de cet homme. Il se tourna vers ses compagnons d'infortune et leur jeta :
— Cessez de pleurnicher. Trouvons plutôt un plan pour s'échapper d'ici.

Si son frère Naba avait été auprès de lui, sans doute auraient-ils imaginé une ruse. Ils ne seraient pas restés là à bêler comme des moutons.

Naba. Comment le retrouver ? L'un des garçons grommela :

— Tu ne vois pas qu'il est impossible de s'enfuir ? De quel plan parles-tu ?

— Et puis, renchérit l'autre, où irions-nous ? Crever dans le désert ?

Malobali regarda autour de lui. Avec Tiéfolo, ils restaient parfois des jours en brousse, et ces parties de chasse lui avaient donné une certaine connaissance de la nature.

— Le soleil se lève à l'est, fit-il observer à ses compagnons. Donc, Ségou se trouve dans cette direction. Et, au loin, je vois les palmiers d'une oasis. Cela veut dire qu'il y a de l'eau. Est-ce que le Niger coule par ici ?

— Le Niger ! Qu'est-ce que tu racontes ? Il n'y a pas de fleuve dans le désert ! soupira un des garçons. Tout le monde le sait. Il n'y a que du soleil, des pierres et du sable.

C'était vrai. Pourtant, Malobali refusait de se laisser abattre. Il entendait lutter envers et contre tout. C'est alors que l'assistant d'Ahmed vint vers eux. C'était un jeune Noir, un adolescent de quinze ou seize ans.

— Tu es un Bambara ? souffla Malobali.

Hassan regarda prudemment de droite et de gauche.

— Oui et non ! répondit-il.

— Qu'est-ce que tu veux dire ? s'énerva Malobali.

— Je veux dire que les gens de Ségou m'ont vendu à Ahmed et que je travaille pour lui depuis que je suis tout petit. Je suis devenu musulman, je parle arabe. Tu sais, ajouta-t-il, Ahmed a l'air mauvais, mais dans le fond, il a bon cœur.

— Garde ces balivernes pour toi ! cria Malobali.

Pourtant, il se radoucit :

— Peux-tu nous aider ? Nous cherchons comment nous enfuir.

Le garçon s'accroupit.

— Ôtez-vous cette idée de la tête. C'est impossible. Vous serez tout le temps attachés aux chameaux. Et puis, vous enfuir où ? Vous ne tiendriez pas un jour dans le désert. Vous voulez que vos carcasses s'ajoutent à celles que vous allez voir dans le sable ?

Les deux adolescents se mirent à pleurer plus fort. Hassan leur tapota l'épaule avec compassion :

– Allons, allons ! Allah est grand ! Vous pourrez trouver un bon maître. Vous verrez, Fès est une très belle ville, très plaisante. Les gens y sont gentils.

"Qu'est-ce que cela veut dire, un bon maître ? songea Malobali. Cela existe-t-il ?" Il demanda :

– Combien de temps jusqu'à Fès ?

– Quatre-vingt-dix jours.

Quatre-vingt-dix jours dans cette fournaise, emprisonnés entre ciel et sable, aveuglés par le soleil. Quatre-vingt-dix jours à s'envelopper la tête d'étoffes pour ne pas mourir d'insolation. À boire l'eau bouillante contenue dans des gourdes de peau. À se nourrir de filaments de viande séchée.

Comment feraient-ils ?

Quand Ahmed revint vers eux, il tirait derrière lui ses chameaux. Il mit les adolescents debout avec force coups de pied et coupa brutalement les liens qui leur entravaient les jambes. Le sang afflua dans leurs chevilles engourdies… Ils crièrent de douleur.

Puis Ahmed leur passa autour du cou des cordes solides qu'il noua comme des licols et dont il fixa les bouts aux harnais des animaux. Tout en s'affairant, il ne cessait de rire, comme si ces préparatifs l'amusaient. Brusquement, il aboya quelques phrases à l'intention de son assistant. Celui-ci acquiesça, et la caravane se mit en route.

Des larmes montèrent aux yeux de Malobali. Tout était de sa faute. S'ils avaient dormi paisiblement dans la case au lieu de partir à la recherche de Fama, rien ne serait arrivé. Mais voilà, il était têtu, déraisonnable. Plein de remords, il revécut ses nombreuses désobéissances. Il avait l'impression d'avoir perdu à jamais son jumeau, son père, sa mère, ses petits frères et sœurs, Ségou et tout ce qu'il aimait.

À quelques kilomètres de là, Naba n'en menait pas large. Encadrée par des gardes armés de fusils, la longue colonne de prisonniers dont il faisait

partie s'étirait sous le soleil. Il était révolté de constater que plusieurs gardes étaient des Bambaras. Il aurait aimé leur demander : "Pourquoi nous faites-vous du mal ? Nous prions les mêmes dieux, nous honorons les mêmes ancêtres. Ne sommes-nous pas vos frères ?"

Les prisonniers étaient en majorité des hommes. Mais on comptait aussi des femmes, des adolescents, des enfants. Ils marchaient, les mains entravées dans le dos, reliés les uns aux autres par un joug de bois qui leur enserrait le cou. Ils ruisselaient de sueur tandis que leurs pieds s'ensanglantaient sur la pierraille des chemins. Au fur et à mesure qu'ils avançaient, la désolation devenait plus effrayante. Le paysage se transformait en zone de ruines calcinées. Les champs étaient dévastés. Plus un vivant. Partout l'odeur de la charogne. Livré à lui-même, le bétail errait misérablement. Cependant, Naba aurait supporté toute cette souffrance si Malobali avait été à ses côtés. Privé de lui, on aurait dit qu'un couteau l'avait partagé en deux parties et laissé là à saigner.

Il avait entendu dire qu'ils se dirigeaient vers la mer. Il ne connaissait pas la mer. Il avait entendu raconter que c'est un bleu immense appliqué sur le corps de la terre, plus vaste que le fleuve, même quand il distend ses rives à l'infini. Qu'elle est tantôt lisse, tantôt hérissée de vagues frangées d'écume, aussi hautes que le palais du mansa. Et que quand elle se met en colère, elle devient noire et vorace, entraînant tout en son sein. La verrait-il de ses yeux ? Non ! Il était déjà trop faible, il tomberait à terre bien avant d'y arriver.

La faim le tenaillait. Deux fois par jour, les gardes faisaient asseoir les captifs et leur distribuaient des rations de mil. Mais avec le joug qui leur sciait le cou, ils ne pouvaient guère avaler. Quand ils passaient à proximité d'une mare, les gardes emplissaient les calebasses. Mais l'eau boueuse et tiède ne désaltérait pas. Souvent, elle les rendait plus malades encore.

Naba songeait à la douleur que devaient éprouver les siens. Son père. Sa mère, surtout, qu'il adorait. Il se remémorait mille petits jeux, mille petits secrets qui les unissaient. Un poème qu'il avait composé pour elle lui revint en mémoire :

Mère chérie
Mère qui donne librement tout ce qu'elle possède
Mère qui n'abandonne jamais le foyer
Mère, je te salue
L'enfant qui pleure appelle sa mère

Une terrible intuition lui soufflait qu'il ne la reverrait jamais. Ni Tiéfolo. Ni Malobali. Il ne reviendrait jamais à Ségou. Il ne revivrait jamais sa vie d'antan.

Comme toutes les nuits, on s'arrêta pour dormir à l'abri des arbres. Plus de clair de lune. Il faisait un noir d'encre.

Les gardes défirent les chaînes qui entravaient les bras des prisonniers et enlevèrent le joug d'autour de leur cou. En dépit de la fatigue que causaient ces marches interminables, il arrivait que certains profitent de l'ombre pour essayer de s'enfuir. Mais les gardes les rattrapaient immanquablement. Et le lendemain, ils leur empilaient sur la tête des pierres pour décourager toute nouvelle tentative.

L'un des gardes s'approcha de Naba. C'était un Bambara, un garçon guère plus âgé que lui. Leurs regards s'étaient souvent rencontrés. Pourtant, ils ne s'étaient jamais adressé la parole.

— Tu es le fils de Tiéfolo, n'est-ce pas ? souffla le garde.

— Tu connais mon père ? s'écria Naba, bouleversé.

Depuis des jours, il n'était plus qu'un objet de mépris, traité avec brutalité. Soudain, il retrouvait son identité.

— À Ségou, qui ne connaît ta famille ?

— Tu es de Ségou ?

L'autre hocha la tête.

— Mon père était un des soldats du mansa. De sa garde personnelle. Il était toujours parti, à piller les pays voisins. À la maison, nous avions tout ce qu'il nous fallait. Mon père possédait des captifs pour cultiver son champ. Et ma mère, des captifs pour l'aider à la cuisine. Puis mon père est mort. Du jour au lendemain, dégringolade. Misère.

"La misère ? Qu'est-ce que c'est ?" se demanda Naba qui n'avait jamais manqué de rien. Plus de nourriture. Avoir faim… Pourtant, il découvrait que certaines douleurs sont plus terribles encore.

Le garçon poursuivit :

— J'ai essayé de rentrer, à mon tour, dans l'armée. Mais Ségou avait asservi tous ses voisins et ne faisait plus la guerre. Alors…

Naba l'interrompit pour lui poser la question qui le lancinait :

— Sais-tu ce qui a pu arriver à mon jumeau, Malobali ? Nous étions partis tous les deux avec mon père pour poursuivre un lion. Nous avons passé la nuit à Surutu. Nous sommes sortis faire un tour et nous sommes tombés dans un guet-apens. Des inconnus nous ont assommés. Quand j'ai repris connaissance, mon frère avait disparu.

Le garde réfléchit :

— Ceux qui vous ont capturés ont peut-être décidé de vous vendre séparément, l'un aux Blancs, l'autre aux Arabes.

— Aux Arabes ! s'écria Naba. Les Arabes aussi nous veulent du mal ?

— Ils sont très friands d'esclaves noirs.

— Mais je ne suis pas un esclave ! répéta Naba avec fureur.

— Dans leurs mains, c'est pourtant ce que tu vas devenir ! fit tristement le garde.

Il y eut un silence, puis Naba reprit :

— Où allons-nous ? Est-ce que tu le sais ?

Le garde n'en semblait pas très sûr.

— Je crois que nous allons marcher jusqu'au pays des Malinkés*. Là, nous suivrons le fleuve et atteindrons la côte où nous attendent les bateaux des Blancs.

*Autre peuple présent dans l'actuel Mali.

CHAPITRE 3

Pendant ce temps, Tiéfolo, la mort dans l'âme, organisait des battues pour retrouver ses fils. Une foule de cavaliers touchés par son malheur était accourue de Ségou afin de l'aider dans ses recherches. Le mansa avait dépêché des soldats, reconnaissables à leurs habits jaune soufre, qui grossissaient la troupe des chasseurs. Tout le monde donnait des opinions contradictoires. Personne n'avait l'idée de prendre la direction de la côte. Au contraire. La troupe se dirigeait vers le nord, vers la limite du désert, le pays des Touaregs que l'on soupçonnait. Tiéfolo avait amassé une quantité considérable de poudre d'or, au cas où il devrait négocier une rançon avec les "chiens fous dans la brousse".

Il descendit de sa monture. Il accepta de l'eau et de la nourriture des mains de l'un de ses compagnons. Pourtant il n'avait ni faim ni soif. Il ne songeait qu'à ses enfants. D'un seul coup, il en avait perdu deux ! Il essayait d'imaginer la scène du rapt. Naba et Malobali étaient robustes, ils ne se séparaient jamais de leurs carquois et de leurs flèches… Ils avaient sûrement été attaqués par-derrière.

Tiéfolo se sentait coupable. Les parents sont là pour protéger leurs enfants des dangers, ils sont responsables des malheurs dont ils sont victimes. Comme il se reprochait de les avoir emmenés contre leur gré à Surutu ! Il aurait mieux fait de les laisser à Ségou avec leur mère et leurs petits frères et sœurs. Il se reprochait aussi sa sévérité. Combien de fois les avait-il forcés à l'accompagner dans ses expéditions, alors qu'ils haïssaient la chasse.

Bientôt, un campement de Touaregs apparut. Dans leurs tentes rondes, faites de toile et de peaux d'animaux, les femmes cuisinaient ou donnaient le sein aux nourrissons. Les hommes, oisifs, bavardaient en buvant du thé vert à la menthe. Ils portaient des sabres à double tranchant au côté, et des poignards effilés retenus à leurs poignets par des bracelets de cuir. Malgré cette mine effrayante, ils accueillirent Tiéfolo et sa troupe fort civilement. Non, à leur connaissance, aucun rapt d'enfant n'était survenu récemment. Ils n'avaient pas vu de jeunes captifs dans les oasis. Mais ils promirent de garder l'œil ouvert.

Par contre, ils étaient au courant des nouveaux dangers qui mena-çaient la région. Plus au sud, le long de la mer, les bateaux des Européens se pressaient comme des fourmis. Toutes les nationalités. Des Français. Des Anglais. Des Hollandais. Des Portugais. Tous échangeaient leurs marchandises contre des hommes.

Pas plus que ses fils, Tiéfolo n'avait rencontré de Blancs. Mais il avait entendu des récits qui illustraient leur puissance.

— Quelles marchandises apportent-ils ? interrogea-t-il.

Les Touaregs répondirent tous à la fois, avec animation :

— Des fusils.

— Des barils de poudre à feu. Pour toi, chasseur, ce serait très utile. Tu tuerais les fauves à tous les coups.

— Jamais de la vie ! s'exclama Tiéfolo, profondément choqué. Les animaux se chassent à l'arc, avec des flèches empoisonnées.

Tiéfolo était passé maître dans l'art de confectionner les poisons. Il avait même inventé un poison fait de têtes de serpents, de queues de scorpions et de sève.

— Des tissus de toutes les couleurs pour tailler des vêtements.

— Des mouchoirs pour s'éponger quand il fait chaud.

Tiéfolo haussa les épaules. En pareil cas, il se servait d'un éventail de paille tressée. C'était bien suffisant.

— Des pipes. Du tabac pour fumer.

Il n'avait jamais fumé de sa vie. Quand il avait la bouche sèche, il mâchait des noix de kola.

— Des ciseaux. Des couteaux. Des haches pour couper tout ce qu'on désire.

— Même les arbres de la forêt ? interrogea-t-il, sceptique.

— Bien sûr. Les plus gros.

Tiéfolo pensa que cela pourrait être utile. Ses hôtes continuèrent :

— Et des alcools. Toutes sortes d'alcools. As-tu jamais goûté à l'eau-de-vie de Hollande ?

Non, Tiéfolo se contentait de vin de palme. À son avis, rien ne pouvait égaler sa saveur légèrement pétillante et sucrée.

— Cela me semble peu de chose, conclut-il. Et que font-ils de nos hommes qu'ils prennent en échange ?

Par égard pour le malheureux père, les Touaregs n'osèrent pas lui rapporter ce qu'ils avaient entendu dire : qu'ils les mangeaient.

Tiéfolo remonta sur son cheval et reprit avec son escorte le chemin de Ségou. Au fur et à mesure qu'ils se rapprochaient de la ville, la végétation devenait touffue, verdoyante. Les arbres réapparaissaient. Bientôt, le fleuve qui l'entourait brilla comme un ruban de moire sous les rayons du soleil couchant.

Une fois entré dans Ségou, Tiéfolo prit congé de ses compagnons et se dirigea vers le palais du mansa pour lui rendre compte de l'expédition. Lui, le chasseur adulé, admiré, se sentait fragile et vulnérable en cette fin de jour. Des larmes s'amassaient dans ses yeux, qu'il retenait à grand-peine. Certes, ses femmes lui avaient donné d'autres enfants. Dix en tout. Des garçons, des filles. Pourtant, Naba et Malobali étaient particulièrement chers à son cœur. Il se rappelait la nuit sans lune où ils étaient nés, et sa stupeur quand la matrone avait dit : "Ce sont des jumeaux !"

*Palmier nain.

Deux garçons d'un seul coup. Forts et bien faits, qui grandiraient, comblant de fierté leurs parents, comme des palmiers doum* dans la savane. Il n'est pas commun qu'un homme soit ainsi comblé. Qu'avait-il fait pour irriter le ciel et le conduire à reprendre ce qu'il avait généreusement donné ? Une fois de plus, il se demanda s'il n'avait pas été trop autoritaire, trop préoccupé d'imposer à son entourage ses volontés. Il se reprocha de n'avoir pas respecté le tempérament de ceux qui vivaient autour de lui.

LA COUR DU PALAIS, resserrée entre ses hauts murs de banco*, était

*Mélange de terre, de sable et de paille.

remplie de suppliants, hommes et femmes. Ils venaient exposer au mansa les déboires de leur vie dans l'espoir qu'il les aiderait. Car, c'était connu à travers le royaume, le mansa avait le cœur sur la main, à la différence de son père qui avait été sanguinaire et brutal. Les jours d'audience, des domestiques disposaient dans la salle de petits sacs de cauris* qu'ils distribuaient jusqu'au dernier.

*Petits coquillages qui servent de monnaie.

Le mansa reçut Tiéfolo dans un salon où il se reposait,

étendu sur des peaux de bêtes, ses griots jouant à la kora, en sourdine, un air traditionnel.

Le bossu dit à la bossue :
Qui t'a donné la tortue que tu portes sur le dos ?
Ce n'est pas une tortue ! répondit-elle.
Comme toi, comme toi,
Ce sont mes ailes que je replie
Avant, avant de m'envoler là-haut
Dans l'azur !

Ils s'interrompirent et s'inclinèrent respectueusement à l'entrée de Tiéfolo, cependant que le mansa se redressait vivement.

— Alors ? interrogea-t-il.

Tiéfolo secoua la tête avec tristesse :

— Rien. Nous sommes remontés jusqu'à la limite du désert. Les Touaregs assurent qu'ils n'ont rien vu.

Le mansa haussa les épaules.

— Ce ne serait pas la première fois qu'ils nous mentiraient.

Puis il ajouta, après avoir réfléchi :

— Peut-être faut-il descendre vers le sud, vers la mer. Tu as entendu ce qu'on dit des Blancs ? Il paraît qu'eux aussi, ils capturent les nôtres pour des sacrifices.

— Pourquoi feraient-ils cela ? demanda Tiéfolo. Cela n'a aucun sens. Quels sacrifices ?

Le mansa eut un geste d'ignorance :

— On prétend que c'est grâce à ces sacrifices qu'ils acquièrent leur magie.

Il y eut un silence pendant lequel le mansa, comme Tiéfolo, se demandèrent en quels temps étranges ils vivaient. Des dangers partout. Au Nord comme au Sud. Au bout d'un moment, le mansa reprit :

— Demain, tu prendras une centaine de soldats avec toi et vous descendrez jusqu'à la mer. Vous emporterez des provisions pour plusieurs jours et vous prendrez le temps qu'il faudra pour retrouver tes garçons.

Tiéfolo le remercia. Cependant, découragé, il pensa : "On ne les retrouvera jamais, je le sens. Sans le savoir, j'ai commis une faute et le ciel me punit. Je dois expier. Je libérerai tous mes captifs gagnés à la guerre, et je les aiderai à acquérir de la terre afin qu'ils s'installent avec leurs femmes et leurs enfants. Je distribuerai aux pauvres, qui s'entassent dans la misère du quartier de Ségou-Tigui, une partie de ma fortune afin qu'ils se procurent des logements décents et de la nourriture. Désormais, on ne me respectera plus seulement comme un chasseur, mais comme un homme qui fait le bien autour de lui."

Comme il retraversait la cour, il se heurta au devin Alkaloba, vêtu de son habit rouge et coiffé de son bonnet pointu. Alkaloba se mit à tourner autour de lui avec l'air effronté de celui qui reçoit les faveurs du mansa. Et il déclara :
– Tu ne reverras jamais tes fils. Je les vois perdus dans une ombre épaisse comme la nuit.
Puis il s'éloigna en sautillant, comme s'il venait de faire la plus agréable des prédictions.

CHAPITRE 4

ertains hommes possèdent en eux un pouvoir de résister à
tous les maux qui les émerveille eux-mêmes. D'où cela leur
vient-il ? Ils l'ignorent. Alors que ses deux jeunes compagnons
avaient péri d'épuisement, de chagrin, dès les premiers jours du voyage,
et avaient été enterrés dans le sable sans cérémonie, Malobali était
parvenu à traverser le désert. Certes, il n'était plus que l'ombre de lui-
même, décharné, la peau boucanée et les cheveux rougis d'avoir absorbé
tant de soleil. Pareil à un animal d'une espèce inconnue. Mais vivant.
Bien vivant.

Un matin, surgirent devant ses yeux les portes monumentales

de la cité de Fès, comme un de ces mirages qui l'avaient tellement torturé. Pourtant, cette fois, il ne s'agissait pas d'un mirage. Ils traversèrent la cité d'un bout à l'autre. Et Malobali dut reconnaître qu'avec ses altières constructions de pierre bordant des rues pleines d'animation, ses places fleuries, ses arbres majestueux, ses étals de fruits colorés, elle était aussi belle et imposante que Ségou.

— Ne t'avais-je pas averti que c'est une sacrée ville ? lui glissa Hassan. Les poètes la chantent comme une femme.

— Je suis d'accord avec toi, souffla Malobali. Moi qui croyais que Ségou n'avait pas de rivale. Mais où allons-nous ? Est-ce que tu le sais ?

— Chez Ahmed, dans le quartier d'Albaradiou. Ahmed veut te trouver un acquéreur à un bon prix, expliqua Hassan. Avant de te présenter au marché, il sait qu'il doit te redonner figure humaine. Te faire manger, prendre un bain, t'huiler le corps, te reposer. Alors, ce soir et demain aussi, tu verras comme il va te traiter !

La maison d'Ahmed ne ressemblait guère aux constructions de Ségou, brunes et austères, avec leurs façades en banco décorées de motifs géométriques. Peinte en blanc et bleu, elle était disposée en carré autour d'un jardin intérieur, véritable fouillis de fleurs et de plantes.

Ô merveille de l'eau retrouvée. L'eau qui ruisselle sur le corps, l'eau qui régénère et rafraîchit ! Après son bain, Malobali reçut un bienfaisant massage. Puis un coiffeur coupa ses tresses couleur d'incendie et lui rasa le crâne. Cela lui déplut fortement, car à Ségou, un homme se mesurait à la vitalité de sa chevelure. Ainsi, les grands chasseurs, les "karamoko", comme on les désignait avec révérence, se reconnaissaient à l'épaisseur de leurs tresses. Il fut tenté d'envoyer balader à coups de pied ce barbier, avec ses blaireaux, sa mousse et ses ciseaux. S'il ne le fit pas, c'est qu'il avait conscience que cela n'eût servi à rien. Il n'était plus qu'un objet dont on dispose à volonté. Mieux valait garder ses forces pour les combats qui ne manqueraient pas de se présenter. Hassan ne lui avait-il pas chuchoté qu'il devrait changer de nom et devenir musulman ? C'est-à-dire se renier, renier la religion de ses pères. Cela, jamais, jamais !

Cependant, il n'eut pas le temps de s'abîmer dans ses tristes pensées. Une servante vint lui apporter un plat de mouton accompagné de légumes et couvert d'une sauce à la tomate. Alors que depuis des semaines, il était nourri de mil et de viande séchée !

La servante était entourée des plus jeunes enfants d'Ahmed qui rappelèrent à Malobali ses propres frères et sœurs. Au cours de ses trois mois dans le désert, il avait appris quelques mots d'arabe, insuffisants pour soutenir une conversation. Il comprit toutefois que ces gamins aux regards brillants de curiosité retenaient mal leurs fous rires. Ils venaient le regarder sous le nez. Sans doute n'avaient-ils jamais vu de Noir. Quand tout cela changerait-il ? Quand ceux qui vivent au Nord seraient-ils familiers de ceux qui vivent au Sud et vice versa ? Quand la Terre serait-elle plus unie et plus fraternelle ?

Le soir, Malobali se retrouva enfermé dans une pièce dotée d'une lucarne minuscule, mais meublée d'un lit confortable. Depuis longtemps, Malobali n'avait pas dormi dans un lit. Pourtant, malgré la mollesse de sa couche, il ne put fermer l'œil, car trop de questions se pressaient dans sa tête. Le surlendemain, il allait être vendu au marché comme du vil bétail, comme la marchandise la plus commune. Qui l'achèterait ? Pour quoi faire ? Qu'adviendrait-il de lui ? Quel sombre avenir se préparait pour lui ?

Pourtant, sa combativité ne faiblissait pas. Non ! On ne viendrait pas à bout aisément de lui. Il trouverait une solution, il le fallait.

Il réfléchit toute la nuit, toute la journée du lendemain aussi. Que faire d'autre ? Il était enfermé. Il vérifia la solidité de la porte. L'œil rivé à la lucarne, il observa les allées et venues dans la maison, il tenta de discerner les voix des habitants. Combien de personnes vivaient-elles là ? Et parmi elles, combien pourraient l'empêcher de s'évader, s'il faisait une tentative ?

Le temps fuyait, aussi insaisissable que la poussière du désert. Plus que quelques heures avant le lever du soleil. Malobali imagina son transfert vers le marché aux esclaves. La foule, les regards des badauds, les enfants hilares, les acheteurs méprisants… Pour la première fois de sa vie, le courage l'abandonna. Il se vit au milieu des autres esclaves. Les mains et les pieds entravés, le joug autour du cou… Lui, le fils de Tiéfolo.

Jamais, jamais.

Au petit jour, quand Hassan entra dans la cellule de Malobali, il ne le vit pas sur sa couche. Il crut d'abord que le jeune garçon s'était sauvé. Ahmed serait furieux, et c'est lui, Hassan, qui allait encore payer pour tout le monde… Hassan voulut crier, alerter toute la maison, mais son cri resta coincé dans sa gorge : il venait d'apercevoir Malobali, suspendu par le cou à une étoffe nouée au plafond.

Dans la nuit, Malobali s'était pendu. Il s'était enfui pour toujours.

- JEAN-BAPTISTE ! LES TOMATES SONT À POINT. Qu'est-ce que tu attends pour les cueillir ?

Jean-Baptiste ! Naba n'arrivait pas à s'habituer à ce prénom qu'il portait depuis huit mois qu'il était à Gorée. Il l'avait reçu de son maître, un Français, le docteur Jean Pépin, lors de son baptême. En effet, la loi des Blancs voulait que tous les esclaves deviennent catholiques.

Le docteur Pépin avait payé Naba fort cher, car l'adolescent était un produit parfait. Les Touaregs se trompaient. Si les trafiquants européens tenaient aux Africains jeunes, grands et forts, ce n'était pas pour les manger. Dans leur jargon, ils les appelaient des "pièces d'Inde". Ils les voulaient capables de supporter la traversée au fond de la cale des vaisseaux négriers. Puis le dur labeur dans les plantations des Amériques où l'on cultivait le tabac, le coton et surtout la canne. La canne produisait le sucre, grâce auquel des fortunes s'édifiaient. Sucre roi. *King Sugar,* comme le surnommaient les Anglais.

Au XVIIIe siècle, l'île de Gorée comptait plus de deux mille habitants. C'était sa période de gloire. Située en face de Dakar, Gorée était alors le siège de la Compagnie du Sénégal. Elle y détenait une dizaine d'esclaveries, des entrepôts humides et sombres où l'on parquait les Africains capturés tout le long de la côte avant de les vendre aux trafiquants. D'une certaine manière, Naba avait eu de la chance puisqu'il n'avait pas été expédié dans les Amériques. On disait que lors des trois mois de traversée, la moitié de la cargaison mourait et était jetée aux requins. On peut aussi considérer que le docteur Pépin était un "bon maître". Ne cherchait-il pas un instituteur pour apprendre à lire et à écrire à ses esclaves ?

Le docteur avait fait l'acquisition de Naba pour s'occuper de son verger. On s'était rendu compte que tous les fruits et légumes poussaient à Gorée. Melons. Pastèques. Tomates. Choux. Aubergines. Et surtout citrons. Et les oranges, ces petites merveilles, ces soleils en miniature gorgés d'un jus savoureux.

Malgré le dégoût que lui causait la vue du sang, Naba n'avait jamais envisagé une autre vocation que celle de son père et du père de son père. Malobali et lui seraient chasseurs comme eux. Or, voilà qu'il s'était mis à aimer la terre comme un agriculteur, comme un de ces captifs employés aux travaux des champs.

Au sol de Gorée, il ne manquait que de l'eau. Naba avait inventé un ingénieux système d'irrigation. Il le bêchait, le sarclait, le binait. Dès qu'il voyait germer les premières pousses fragiles, il leur parlait comme à des enfants, retrouvant les mots que sa mère lui murmurait quand il était petit :

Allons mon bébé
Allons mon bébé
Qui te fait peur ?
L'hyène te fait peur
Ne crains rien
Est-ce que je ne suis pas auprès de toi ?

Oui, les tomates étaient mûres à point, rouges, éclatantes. Il alla chercher une calebasse et arrosa les pieds, un à un, avec précaution. Puis il rapporta la calebasse à la cuisine, pour la faire remplir par les esclaves chargés des travaux ménagers. Ils bavardaient en maniant faitouts et casseroles, mais ils se turent en le voyant arriver. Toujours solitaire, l'air sombre, Naba leur rappelait les malheurs de leur condition qu'ils tentaient d'oublier. Dans les premiers temps, il refusait de se nourrir et tout le monde guettait le moment de sa mort. Heureusement, ils s'étaient tous trompés.

Désormais, quand la récolte était bonne, Naba allait distribuer des fruits dans les esclaveries, dans l'espoir d'adoucir la détresse de ses semblables. L'entrée était interdite, sauf aux trafiquants et aux fonctionnaires de la Compagnie du Sénégal. Cependant, les gardiens toléraient la présence de Naba. Ils le prenaient pour un fou, avec son grand sac rempli d'oranges, de pastèques ou de melons.

Naba gravit les marches de l'esclaverie centrale.

C'était un quadrilatère, bâti de manière à décourager toute tentative d'évasion. La saleté était repoussante. Il était divisé en deux salles. L'une d'elles, la salle des ventes, donnait sur la mer par une porte basse qui donnait accès aux vaisseaux négriers. On l'appelait la porte de la Mort. Debout sur le seuil, un gardien accueillit Naba avec agacement.

– Encore toi ! J'en ai assez de te voir.

Naba ne s'occupa pas de lui et entra. Un "lot" d'une cinquantaine d'es-claves attendait le moment de l'embarquement. Parmi eux, une fillette de dix, onze ans tout au plus. La plus jolie qu'on pût imaginer. Gracile, menue. Elle lui rappela Awa, sa petite sœur favorite. Sur ses joues satinées, les larmes dessinaient des sillons. Cependant, en dépit de son chagrin, elle gardait un air crâne, surprenant étant donné sa jeunesse. Ému, Naba tira une orange de son sac, l'éplucha soigneusement et la lui tendit. Elle refusa avec une moue ce fruit inconnu. Il murmura :

– D'où viens-tu ? Tu parles bambara ?

Elle eut un geste pour signifier son incompréhension. Il ne fut pas

découragé pour autant et se frappa la poitrine, martelant :

– Naba ! Naba ! Je m'appelle Naba.

Pendant un instant, elle resta immobile, le fixant d'un regard interrogateur, puis elle souffla d'une petite voix acidulée en frappant à son tour sa poitrine :

– Ayodele !

Il faillit fondre en larmes. Ainsi, malgré leur condition misérable, ils avaient pu se parler. Ils s'étaient nommés, comme des êtres humains.

Si Ayodele avait pu communiquer avec Naba, il aurait entendu une histoire pitoyable, autant que la sienne.

AYODELE ÉTAIT UNE DES FILLES DE L'OBA qui, dans son palais

de Lagos, ne pouvait compter ni ses femmes ni ses enfants, plus nombreux que les grains de sable des plages. Elle ne sortait jamais du labyrinthe des cours, gardée par ses servantes. Sa mère lui apprenait à filer, tisser, faire un peu de cuisine. Le soir, la marmaille s'assemblait pour entendre des contes. Parfois, en fin d'après-midi, les griots s'amenaient, s'installaient en demi-cercle, et les accords harmonieux de leurs instruments ne cessaient qu'avec la nuit. C'était une vie calme, pleine de petits plaisirs, ponctuée par les cérémonies des baptêmes, des mariages, et celles, plus solennelles, des enterrements. Elle aurait pu pleinement satisfaire Ayodele, si sa nature avait été moins remuante et curieuse. Pourquoi lui était-il interdit de sortir ? Elle ne cessait de se demander ce qui se passait au-delà du mur de terre qui enserrait le palais. Étaient-ce des humains pareils à sa mère, à elle, aux siens qui vivaient hors de cette enceinte ? Avaient-ils deux yeux, une bouche, un nez pour respirer ? Marchaient-ils sur leurs pieds ? Est-ce qu'une queue pointait dans le mitan de leur dos, comme la bosse des grands-parents ? Leurs cheveux étaient-ils verts comme le feuillage des manguiers ?

Ayodele pressait sa mère de questions : "Iya*, comment c'est la mer ?", "Une montagne, c'est comment ?", "Un fleuve, ça ressemble à quoi ?"

*Maman, en langue yoruba

"Pourquoi, des fois, le vent casse tout sur son passage, alors que d'autres fois, il s'adoucit et caresse nos visages ?"

Un jour, ainsi qu'ils en avaient coutume, des colporteurs étaient venus offrir leurs marchandises aux princesses du palais. Leurs bavardages ne tarissaient pas tandis qu'ils tiraient leurs trésors de leurs paniers :

— Vous n'avez jamais rien vu d'aussi beau ! avait assuré l'un d'eux. Ce sont des tissus qui viennent d'Europe.

— L'Europe ? C'est quoi ? avait soufflé Ayodele à sa sœur.

Elle n'avait jamais entendu ce mot. Sa sœur non plus. Finalement, une tante les avait renseignées :

— Petites sottes ! L'Europe, c'est sur l'autre rive de la mer. C'est le pays des Blancs.

Des gens avec une peau… blanche ? Les deux fillettes s'étaient regardées. Elles n'en avaient jamais vu.

— Quel spectacle ! avait poursuivi le colporteur. Leurs bateaux bondissent sur la mer comme des chevaux.

— Non ! l'avait corrigé un autre. Je dirais plutôt qu'ils volent au-dessus d'elle comme des oiseaux.

— Dans leurs ventres, ils transportent toutes sortes de merveilles, avait ajouté un troisième.

— On dit, avait interrompu la première femme de l'oba que ce concert de louanges irritait, que les Blancs traitent nos hommes comme des chiens. Sous le fouet, ils les font travailler dans leurs plantations.

— C'est de leur faute s'il existe maintenant toute cette violence, avait assuré sa fille aînée qui était toujours de son avis. Des guerres. Des razzias. Des rapts. Il n'y a plus de sécurité nulle part. Les gens n'osent plus voyager seuls, de peur des enlèvements.

Ayodele n'avait pas retenu cette partie de la conversation. Seules l'avaient enflammée les premières phrases : "des bateaux qui ressemblent à des chevaux" ou "à des oiseaux qui volent au-dessus de la mer". Profitant de cette animation et de l'inattention de tous, elle s'était glissée subrepticement dehors. Un bataillon de gardes était posté devant le palais ; ils tenaient dans leurs mains, signe des temps nouveaux, des fusils flambant neufs. Mais ils ne l'avaient pas vue.

Une fois dans la rue, la saleté de Lagos l'avait offusquée, elle qui ne connaissait que les sols soigneusement balayés et recouverts de fin gravier, par des centaines de domestiques, des cours du palais. Des tas d'ordures s'élevaient partout ! La ville lui avait semblé si horrible qu'elle avait failli revenir sur ses pas. Elle n'aurait jamais pu imaginer tant de cases informes, misérables, qu'on aurait dites empilées les unes sur les autres, tant d'habitants, hommes, femmes, enfants, mal vêtus, se pressant dans tous les sens ; tant d'animaux, des moutons, des bœufs, des chiens surtout, des chiens galeux divaguant comme bon leur semblait. Justement, une vache avait laissé tomber en plein milieu du chemin une bouse malodorante.

De peur de se faire remarquer, Ayodele n'avait pas osé demander son chemin et était allée droit devant elle, d'un air faussement assuré. Vers quoi se dirigeait-elle ? Vers la mer ? Dans la terreur qui à présent l'envahissait, elle avait cru remarquer un groupe d'individus qui marchaient sur ses talons. La mine patibulaire. Costauds. Du moins, ils lui avaient paru ainsi. Elle était si menue qu'on l'appelait "Poids Plume". Elle avait tenté de se persuader du contraire. Mais, au bout d'un quart d'heure, le doute n'était plus possible. ILS LA SUIVAIENT.

Que faire ? Comment les semer ? Grimper au faîte d'un des arbres environnants comme le lionceau du conte ? S'y tapir à l'abri du feuillage ? Ils l'attendraient quelque temps. Puis, de guerre lasse, ils finiraient bien par s'en aller. Oui ! C'était une bonne idée. Mais est-ce qu'elle retrouverait le chemin du palais ? Cela faisait longtemps qu'elle errait ainsi au hasard.

Elle n'avait pas eu le temps de s'interroger davantage. Brusquement, ses poursuivants avaient pressé le pas et l'avaient rattrapée. L'un d'eux avait ouvert un grand sac de peau, cependant qu'un autre lui appliquait un chiffon puant sur le nez.

En plein jour, au milieu d'une rue grouillante de monde, elle avait été droguée et proprement enlevée. Les passants ne s'étaient-ils rendu compte de rien ? Ou alors avaient-ils choisi de tourner les yeux dans une direction opposée ? Après tout, une petite fille qui fait une escapade et se balade seule ne récolte que ce qu'elle mérite.

CHAPITRE 5

Quand Ayodele était sortie de son sac, elle s'était retrouvée sur le sol d'une case faite de branchages et couverte d'un toit de feuilles. Autour d'elle, trois enfants, deux hommes et deux femmes pleuraient. Les ravisseurs, reconnaissables à leur mine sauvage, mangeaient voracement. L'un d'eux lui avait tendu un morceau de viande boucanée.

– Mange, princesse, tu vas avoir besoin d'être en forme.

Elle avait repoussé sa main avec force.

– Je n'en veux pas. Je veux que tu me ramènes chez moi.

Les ravisseurs s'étaient tordus de rire. L'un d'eux avait ri plus haut que les autres.

– Ce n'est pas une mauvaise suggestion que tu nous fais là. L'oba nous donnerait sûrement une fortune pour revoir sa petite fille chérie.

Un autre avait secoué la tête.

– Dis plutôt qu'il te fera couper la tête. Non, il vaut mieux aller trouver les Anglais ! As-tu jamais bu du whisky ?

– C'est quoi ?

– Attends ! Tu verras.

Il s'était approché d'Ayodele avec son sac de peau grand ouvert. Elle avait reculé.

– Je ne veux plus rentrer là-dedans.

Il l'avait refermé et lui avait caressé la joue d'un air moqueur.

– Comme tu veux, princesse ! En ce cas, tu vas devoir marcher.

L'un des ravisseurs poussait tout le monde dehors.

– En route !

Il faisait nuit, mais la lune brillait.

Souvent Ayodele, assise dans une des cours du palais, avait applaudi les conteurs. Un lapin, enfermé dans une jolie cage, semblait écouter aussi. Elle se demandait s'il ne s'ennuyait pas, tout seul dans sa prison dorée. Aurait-elle pu imaginer qu'un jour, elle serait dans pareille situation ? Sans sa mère. Sans ses sœurs. Sans ses domestiques.

L'air lourd et humide mordait les lèvres. Le chant assourdissant de la mer prouvait qu'elle se cachait non loin. Pourtant, on ne la voyait pas. Des arbres, de hautes herbes la masquaient. Le groupe marchait à la queue leu leu. Le sol s'enfonçait, humide et spongieux. Ayodele avait buté sur une racine et était tombée de tout son long. C'en était trop ! Sous le coup de la douleur, de la peur, du chagrin, elle avait fondu en larmes.

– Ça suffit, princesse, lui avait dit un des hommes en l'aidant à se relever. Que tu le veuilles ou non, tu entreras là-dedans.

Derechef, il l'avait fourrée dans le sac, noir et malodorant. Combien de temps avaient-ils marché ? Elle avait fini par s'endormir, ballottée sur l'épaule d'un ravisseur qui marchait à grands pas.

Soudain, l'air frais l'avait frappée au visage. Elle venait d'être jetée à terre. Devant elle, la mer roulait ses vagues à l'infini. Elle l'avait reconnue à son odeur. Comme un enfant reconnaît sa mère qu'il n'a jamais vue, au sortir de son ventre. Odeur de sel. Odeur d'iode. Odeur de tout ce qui est essentiel.

Elle avait posé la main sur le bras d'un des hommes.

— C'est la mer ? lui avait-elle demandé.

Il avait levé les yeux au ciel.

— Qu'est-ce que tu veux que ce soit, princesse ?

— Je ne la connaissais pas ! avait-elle murmuré avec un infini respect.

L'homme avait semblé consterné.

— Tu es de Lagos. Le palais se trouve à deux pas, et tu ne connaissais pas la mer ? Tu ne t'es jamais baignée ? Quelle existence menez-vous au palais ?

— Les gens comme toi se croient au-dessus de tout le monde, avait ajouté un autre, ils vivent comme s'ils étaient dans des bulles.

— C'est donc pour me punir que vous m'avez prise ? avait-elle questionné.

Personne ne lui avait répondu. En silence, ils avaient fait monter leurs prisonniers dans deux pirogues et commencé à ramer.

On distinguait dans le lointain des formes inquiétantes : les bateaux des Blancs. Tapis dans l'ombre, ils paraissaient aux aguets.

L'OBA DE LAGOS FIT BATTRE TAMBOUR. Debout aux carrefours, les crieurs l'annoncèrent : celui qui l'aiderait à retrouver sa fille Ayodele, la prunelle de ses yeux, recevrait en récompense un sac d'or, des plumes d'autruche, de l'ivoire et dix captifs pour le servir. Ce fut la bousculade vers le palais. Chacun disait avoir vu Ayodele le jour de sa disparition et se faisait fort de donner les détails de son accoutrement. Les fonctionnaires royaux étaient incapables de distinguer la vérité du mensonge.

— Elle portait un collier de pierres bleues autour du cou, affirmait celui-ci.

— Non, un pectoral d'or massif, affirmait celle-là.

— Pas du tout, c'était de l'ambre.

— Elle avait un cache-sexe rouge ! soutenait une autre.

— Non, un pagne tissé !

Seule l'histoire que conta une femme parut plausible. On convia l'oba à venir en personne en juger. Elle était veuve et vivait avec son fils. Malgré ses supplications, celui-ci faisait partie d'une bande qui travaillait pour le compte de trafiquants anglais. Tous les quatre ou six mois, ceux-ci accostaient dans la baie pour acheter des marchandises. De l'ivoire, des épices, de l'indigo. Et des esclaves, encore et encore. Alors, il leur servait de guide et conduisait leurs expéditions à l'intérieur du pays, où ils incendiaient les villages, tuaient ou capturaient les habitants. Ou bien il se procurait des esclaves autour de Lagos. Comment ? La femme aimait mieux l'ignorer. Un midi, son fils était apparu avec sa bande de pillards, portant un grand sac. Il en avait vidé le contenu par terre : la plus adorable petite fille que l'on puisse imaginer en était sortie. Paisiblement endormie, elle souriait dans son sommeil, ne se doutant pas que le malheur venait de faire irruption dans sa vie.

— Avec ce qu'elle a respiré, avait déclaré le fils, elle devrait dormir encore deux heures au moins.

— Mais d'où sort cette petite ?

Penchée sur la fillette, elle avait admiré la richesse de sa parure.

— C'est une des filles de l'oba, lui avait expliqué son fils. Nous l'avons enlevée au sortir du palais. Elle se baladait tout tranquillement comme si elle ne savait pas que Lagos est devenue dangereuse. (Il semblait très content de lui.) C'est une fameuse prise ! Un morceau de choix ! Cela consolera les Européens. Ils se plaignent de n'avoir rien obtenu de bon cette fois.

— C'est qu'il y a trop de Blancs qui s'abattent sur nos rivages, avait rugi un des hommes qui l'accompagnaient. On croirait des sauterelles dans un champ de mil !

– Ils veulent toujours plus d'esclaves. Ils sont insatiables. Qu'est-ce qu'ils en font ? J'aimerais bien le savoir.

– Ils les emmènent dans leur pays qui est immense et très riche. Une fois là, ils les obligent à toutes sortes de travaux.

Sans prendre part à ces sempiternelles discussions, le fils s'était dirigé vers la sortie en jetant :

– Si elle reprend conscience, fais-la tenir tranquille.

– Comment ? avait-elle interrogé.

– Je ne sais pas, moi ! Raconte-lui des contes, tiens. Tous les enfants aiment ça.

Une fois seule, la femme s'était sentie dévorée de remords, pensant à l'inquiétude des parents, aux larmes de la mère de la petite fille. Et si elle la ramenait au palais ? Que risquait-elle ? Elle expliquerait qu'elle avait voulu la sauver. Mais elle avait craint la fureur de son fils et n'en avait rien fait. Vers la fin de l'après-midi, il était revenu et ressorti aussitôt, emmenant sa prise avec lui.

– Où cela ? s'écria l'oba, ivre de chagrin et de fureur. Où sont-ils allés ? Vers quel bateau ? Quel est le nom du capitaine ?

– Je n'en sais rien ! gémit la malheureuse. Mon fils ne me raconte pas ses histoires. Tout ce que je sais c'est qu'il fait affaire avec des Anglais.

– Qu'on la mette aux fers ! ordonna l'oba. Et, auparavant, qu'on lui administre cinquante coups de fouet.

On continua les recherches de jour comme de nuit. En vain. Ayodele restait introuvable.

NABA PRIT LA MAIN D'AYODELE DANS LA SIENNE. Que pouvait-il pour elle ? Comment la protéger ? À ce moment, des Blancs, vêtus d'uniformes rouges, firent irruption dans la salle et marchèrent vers eux. L'un d'eux aboya un ordre dans une langue qui n'avait pas les sonorités du français auquel Naba commençait à s'accoutumer.

Sans ménagement, il fut bousculé, entravé comme les autres, les mains liées dans le dos. Il se débattit vigoureusement.

— Laissez-moi ! Laissez-moi !

Mais les hommes ne lui prêtèrent aucune attention. Deux d'entre eux le forcèrent sauvagement à s'agenouiller. Armés d'un fer chauffé au rouge, ils le marquèrent à l'épaule. L'horrible odeur de la chair brûlée s'éleva. Naba eut la force de crier malgré la douleur qui le suffoquait :

— Vous êtes fous ! J'appartiens au docteur Pépin qui est médecin sur l'île. Il habite rue de la Faisanderie.

Mais les hommes, qui semblaient ne rien entendre, le poussèrent vers la porte de la Mort.

TOUT D'ABORD, LE DOCTEUR PÉPIN NE S'INQUIÉTA PAS de la disparition de Naba. Il n'était pas rare que les esclaves marronnent* et goûtent à la liberté pendant quelques jours. Puis il commença à se faire du souci. Il s'était attaché à ce garçon rêveur et doux. Il le savait responsable, préoccupé de son jardin. Il était surprenant qu'il l'ait laissé sans soin pendant plus d'une semaine. Où était-il passé ? On ne pouvait s'échapper de Gorée. De jour comme de nuit, un navire gardait la baie. Et à partir du crépuscule, des gardes armés de fusils faisaient des rondes. Et pourquoi se serait-il enfui ? Son maître ne le battait jamais. Il n'était pas malheureux. Sur l'île, il pouvait aller et venir à sa guise. Presque libre.

*S'enfuient.

Des amis du docteur lui suggérèrent que le garçon était peut-être tombé à la mer. Il y avait tant de requins autour de Gorée qu'il n'avait pas une chance de s'en sortir. Il avait sûrement été dévoré. Le docteur Pépin se consola en pensant qu'il achèterait un autre jardinier. Après tout, ce n'était pas l'offre qui manquait.

Personne ne songea au *Bom Amigo* qui faisait voile vers Bahia de tous les Saints, au Brésil. Armando Fereira, le capitaine, était assez content de lui. Il avait pu se procurer quelques défenses d'éléphant qui lui rapporteraient gros. L'une d'elles pesait plus de deux cents livres !

Mais le capitaine comptait surtout sur les esclaves pour s'enrichir. Il en avait acheté quatre cent dix-sept, dont plusieurs "pièces d'Inde". Il avait fallu les tasser dans la soute. Malheureusement, beaucoup mourraient avant d'arriver au Brésil. Les plus fragiles, les malades. C'était tout à fait regrettable, tout cet argent perdu. Mais qu'y pouvait-on ?

Justement, c'était l'heure de faire monter les esclaves sur le pont. Après les avoir inondés avec des seaux d'eau de mer, pour chasser la vermine, les marins les obligeaient à danser pour prendre de l'exercice. Mais la plupart refusaient. Ils restaient immobiles, regardant avec effroi ou désespoir la mer qui moutonnait à l'infini. Ce plancher mobile et changeant les terrifiait. Plus effrayant encore, un cortège de requins suivait le *Bom Amigo*, et des baleines colossales bondissaient en envoyant des jets d'eau dans l'air. Le capitaine remarqua le couple que formaient Naba et Ayodele. Ils étaient inséparables, ces deux-là. Pourtant, ils ne parlaient pas la même langue. Des négriers anglais avaient amené la petite de Lagos et il avait eu la chance de l'acheter assez bon marché. Il en tirerait un excellent bénéfice, car dans tout le Brésil on recherchait les enfants. Leurs petites mains faisaient merveille pour la cueillette du café.

Naba avait causé beaucoup de souci. Les premiers jours, il refusait de s'alimenter. Seule Ayodele arrivait à lui faire avaler un peu de bouillie de mil. Ensuite, il s'était comporté comme un fou. Il saisissait les marins au collet et leur hurlait dans les oreilles des histoires incompréhensibles. Il avait fini par se calmer, comme s'il se résignait. Un jour, fait surprenant, le capitaine avait remarqué qu'au cou il portait une croix. Cela signifiait-il qu'il avait reçu le baptême ? Quand ? Dans quelles circonstances ? Bah, aucune importance, avait conclu le capitaine.

C'était un fait, Naba et Ayodele ne partageaient pas la même langue. Cependant, chaque jour, prenant sa main dans la sienne, Naba lui contait une histoire. Il choisissait une de ses préférées, une de celles qu'il réclamait à sa mère. Cela lui rappelait sa voix, la case et la ville où il avait grandi, l'odeur de vase et d'huître du fleuve.

Ce jour-là, il choisit "L'enfant et le caïman."

Un enfant trouva un caïman sur la terre ferme. Il lui dit poliment :

— *Caïman, caïman ! Qu'est-ce qui t'a amené ici ?*

Le caïman répondit :

— *Je suis venu me promener ; je me suis égaré.*

L'enfant lui dit :

— *Caïman, caïman ! Je peux te mettre dans le fleuve.*

Le caïman sourit :

— *Merci ! Cela me fera grand plaisir.*

L'enfant enroula le caïman dans une natte, il le chargea sur sa tête, marcha dans l'eau jusqu'aux épaules, puis libéra le caïman. Il allait s'en retourner sur la rive, quand celui-ci lui saisit le bras.

— *Lâche-moi, cria l'enfant.*

— *Non, répondit le caïman, je n'ai rien mangé depuis deux jours et j'ai trop faim.*

— *Dis-moi, le prix d'une bonté, est-ce donc une bonté ou une méchanceté ?*

— *Une bonne action se paie par une méchanceté et non par une bonne action, répondit le caïman.*

Dans le conte, l'enfant finissait pourtant par triompher de l'odieux caïman. Il l'emportait même chez lui, où le monstre servait de repas à toute la famille – "Ainsi doivent être payés ceux qui oublient les bonnes actions…"

Mais la véritable histoire de Naba et d'Ayodele était bien différente. Ils avaient perdu leurs parents. Leur village. Leur terre. leur peuple. Leur dieu. Ils ne savaient pas où les conduisait ce bateau, ni quand la mer ferait place à un rivage qu'ils étaient incapables de nommer. Ils pouvaient juste se serrer l'un contre l'autre, unis dans leur solitude, dans l'espoir de se protéger de la cruauté du monde. Unis comme frère et sœur.

FIN

LA MAGYK NOIRE EST DE RETOUR

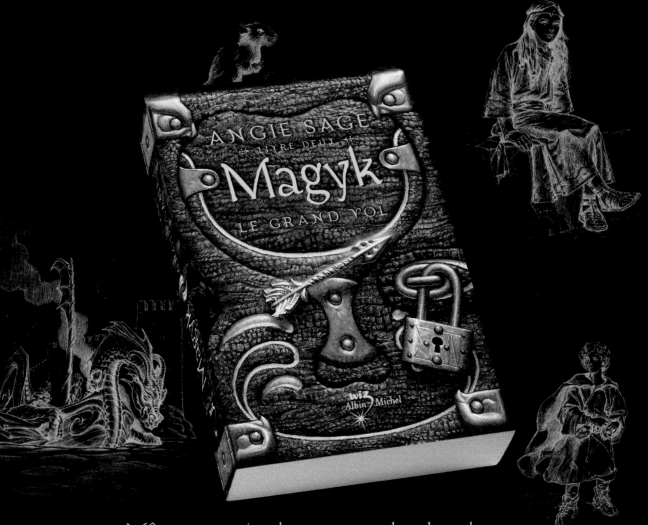

ANGIE SAGE
LIVRE DEUX
Magyk
LE GRAND VOL

wiz
Albin Michel

Même au sein du royaume le plus obscur,
il y a toujours une lueur d'espoir.

wiz
Albin Michel
www.wiz-magyk.com

Livres
roman
par Jessica Jeffries-Britten

Elle a écrit "Kiffe kiffe demain", son premier roman, à 17 ans. Cette chronique tendre et vache d'une ado en banlieue parisienne sort en poche. L'occasion de découvrir une auteur bourrée d'énergie, qui a aujourd'hui 20 ans !

Avoir 17 ans

Kiffe kiffe demain
Faïza Guène

■■■

Le Livre de Poche Jeunesse, 5 €

EXTRAIT

❝Ça ressemble vraiment pas à ce que j'avais imaginé pour mon premier baiser. Non, moi, je voyais plutôt ça dans un décor de rêve, au bord d'un lac, en forêt, au soleil couchant avec un super type qui ressemblerait un peu au mec qui joue dans la pub pour les vitamines, celui qui fait un demi-tour sur sa chaise, se met bien face à la caméra avec son sourire dentifrice et fait : "Si juvabien, c'est Juvamine."❞

JB : Tu as été publiée très jeune. Comment s'est passée cette expérience ?
Faïza Guène : J'écris depuis que je suis petite. Quand j'ai commencé cette histoire, j'étais dans un atelier d'écriture. Le prof a lu les trente pages que j'avais écrites. Il a aimé et m'a proposé de les faire lire à une éditrice. Après, tout est allé très vite

Ça fait quel effet ?
À 17 ans, tu ne réalises pas que ce que tu écris peut intéresser quelqu'un d'autre que toi-même. J'écrivais pour le plaisir. Aujourd'hui je ne me sens pas vraiment auteur. Mais c'est troublant d'être publiée, tu réalises qu'un livre, ça laisse une trace.

Tac au tac

Ton livre préféré ?
"L'attrape-cœur", de J.-D. Salinger.

C'est quoi être jeune ?
Continuer à regarder devant soi.

Ce qui te donne de l'espoir ?
Voir des jeunes qui font des choses...

Ce qui te rend furax ?
L'intolérance.

Ton film préféré ?
"Le bon, la brute et le truand",
je l'ai vu 15 fois !

Ton rêve ?
J'en ai plein... Que mes parents
soient toujours fiers de moi !

Ton pire cauchemar ?
Sarkozy Président.

L'HISTOIRE

Elle est blasée, elle en a marre de tout et n'aime pas grand monde à part sa mère, Hamoudi et madame Burlaud la psychologue, et encore... Voici Doria, quinze ans, fille de la cité, et pour elle, c'est kif-kif demain, toujours pareil, en somme. Elle aimerait bien être quelqu'un d'autre, alors parfois elle se fait des films, s'imagine qu'elle vit dans la famille Ingalls. Un décalage très drôle, entre la réalité de Doria - celle des banlieues - et le rêve qu'on nous vend au cinéma, à la télé. Doria est une jeune fille super attachante, qui, parce que l'existence ne va jamais en ligne droite, zigzague, divague et finit par aimer, pardon, par kiffer la vie.

L'AVIS DE JB

Du verlan à la langue de Molière, Faïza Guène ose le grand écart ! Vous allez rire et être émus par ce conte moderne et optimiste qui a fait parler de lui pour son langage et sa nervosité bien plus subtils et tendres qu'il n'y paraît.

et être publiée !

Ton livre a eu du succès ?
Ce n'est pas parce que tu as écrit un livre que ça fait de toi quelqu'un de meilleur. La vie, c'est autre chose. Demain tout peut s'arrêter, les gens peuvent trouver mon deuxième bouquin nul.

Où et quand écris-tu ?
Je n'ai pas vraiment d'endroit pour écrire. Alors, souvent, je vais dans les cafés, j'aime bien m'isoler au milieu du monde. J'écris au stylo sur des carnets et ensuite je tape à l'ordinateur. Mais les ratures, c'est important !

Que lisais-tu, ado ?
En 6ème, la bibliothécaire m'a conseillé plein de livres. Celui qui a été le déclic c'est

"*La vie de ma mère*" de Thierry Jonquet. J'ai compris qu'on pouvait faire du quotidien quelque chose d'intéressant.

Justement, tu parles des choses positives en banlieue...
Oui, je voulais finir le livre dans un élan. Il faut faire une révolution intelligente : les gens doivent prendre des initiatives, monter des associations, voter surtout !

Cette histoire est-elle autobiographique ?
C'est une fiction, mais il y a des choses qui me ressemblent. Je me suis beaucoup inspirée de ce que j'ai vu, de ce que j'ai vécu. Doria est un personnage fermé, seul. J'aime son côté

un peu fou, décalé, elle part loin dans sa tête. Voilà, c'est ma façon d'écrire, ça crée des situations marrantes de passer du coq... au phoque.

EH ! J'AI MIEUX ! ÉCRIT À L'ÂGE DE 8 ANS ! Alertez le « LIVRE DE POCHE »...

MANU BOISTEAU

Livres *roman*

C'est

jodi lynn anderson

Peau de pêche

wiz Albin Michel

Grandes amitiés, histoires d'amour, itinéraires familiaux... Voici des tranches de vie à savourer sans modération.

Help!

miam!

MANU BOISTEAU

AMITIÉ
Peau de pêche
de Jodi Lynn Anderson ■■■

Elles sont trois et n'ont pas grand-chose en commun : Murphy, la rebelle, Leeda, la jeune fille de bonne famille, et Birdie, la solitaire. Elles se retrouvent dans un verger pour la cueillette des pêches et ça commence plutôt mal. Murphy déteste tout et tout le monde, Leeda a du mal à être elle-même et Birdie est complexée. Contre toute attente, le petit groupe va se souder, pour le meilleur et pour le pire. Disputes, trahisons mais aussi fous rires et moments d'exception : une amitié va naître au milieu de ce verger !

L'AVIS DE JB
Ce joli roman tient plus que sa promesse initiale, celle d'une classique histoire d'amitié – qui pour une fois se passe à la campagne – entre filles. Chaque personnage a ses failles, ses doutes et cette histoire est celle d'une éclosion : sentiment amoureux, amitié et révélation à soi-même. Un roman à déguster comme un fruit bien mûr et rafraîchissant !
Albin Michel, coll. Wiz, 13,50 €

EXTRAIT
❝ *Je vous cherchais les filles. (Birdie repoussa en arrière ses cheveux en bataille mais des mèches restèrent collées à ses tempes mouillées. Elle avait l'air grave, très inquiet, et sa respiration était irrégulière. Ce qui donna aux paroles qu'elle allait prononcer un ton complètement déplacé, drôle et formel à la fois.) Je me demandais si vous accepteriez de m'emmener avec vous si vous faites le mur. Leeda regarda Murphy qui se leva et s'épousseta tout en observant Birdie d'un œil soupçonneux, mais aussi avec un petit sourire naissant.* ❞

la vie !

Livres en POCHE JB

FAMILLE
Les racines de Naomi
de Pam Muñoz Ryan

■■

Après de longues années d'absence, la mère de Naomi revient. Les retrouvailles se passent mal et bouleversent la vie de la jeune fille... Prêts à tout pour rester ensemble, Naomi, son frère et sa grand-mère partent au Mexique, à la recherche du père. Sur un sujet grave, l'abandon, l'auteur réussit avec sensibilité et humour un roman sur la famille. Touchant et facile à lire.
Actes Sud Junior, 10,50 €

AMOUR
Cœur d'artichaut
de Gérard Goldman

■■

1968. Chantin est amoureux, Chantin n'est pas dégourdi, Chantin ne connaît rien à la musique. Janet l'Américaine lui fait tout découvrir d'un coup. Une révolution – celle de mai 1968 – en entraîne une autre, celle, plus intime, du passage à l'âge adulte. Autre époque donc, mais histoire intemporelle : une éducation sentimentale, tendre et drôle.
L'école des Loisirs, 9,20 €

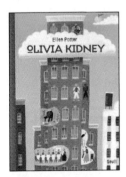

FANTASTIQUE
Olivia Kidney
d'Ellen Potter

■■■

Étrange petite fille, Olivia vit dans son monde à elle avec un deuil impossible à faire, celui de son frère. Olivia se retrouve à la porte de chez elle et rencontre ses voisins, tous aussi bizarres les uns que les autres. Un roman très original qui en déroutera certains mais séduira toutes celles et ceux qui sont prêts à se laisser embarquer dans un imaginaire sans limites.
Seuil, 10 €

roman
Livres

Pierre Gautreau

3 questions à Allan Stratton

Chanda, une jeune Africaine, porte un lourd secret : le sida détruit petit à petit sa famille. Un ouvrage poignant pour briser les tabous.

POURQUOI ÉCRIRE SUR LE SIDA ?

Le sida, c'est trop souvent des statistiques. Je voulais apporter plus d'humanité, montrer le quotidien des malades. J'ai écrit un roman du cœur !

À QUI EST DESTINÉ CE LIVRE ?

La mort et la maladie sont universelles. Les gens qu'on aime peuvent mourir du sida, du cancer, d'une crise cardiaque... On peut tous se reconnaître dans la peine de Chanda.

VOUS APPORTEZ UN MESSAGE D'ESPOIR

Oui, il faut continuer à se battre contre les préjugés.

Avoir le courage de vivre avec la vérité. Quand on réussit à traverser les difficultés de la vie, on en sort plus fort.

Le secret de Chanda, d'Allan Stratton.
Bayard Jeunesse, Millézime. 11,90 €
Bayard Jeunesse s'associe à Médecins sans frontières, en leur reversant 1 € sur chaque exemplaire vendu pendant un an.

Il est comment le dernier Eva Ibbotson ?

Il est **différent** : l'auteur de *Reine du fleuve* et de *L'étoile de Kazan* nous avait habitués à des aventures romanesques. Ici, autre univers, celui de la sorcellerie, et beaucoup d'humour. L'histoire ? Celle d'Arriman, un sorcier qui décide de se marier. Il organise

un grand concours pour départager les sorcières de la région. La gagnante sera la plus maléfique... Le sorcier n'est pas si méchant et la gentille est vraiment gentille, d'où un happy end attendu et réjouissant ! On y retrouve donc la patte d'Eva Ibbotson, toujours généreuse, jamais prise de tête.

Recherche Sorcière désespérément,
d'Eva Ibbotson. Albin Michel, Wiz. 12 €

Piquez-le aux adultes

Dans les années 70-80, l'Europe était coupée en deux. À l'Est, les gens vivaient sous un régime communiste. Dominika est une petite fille qui grandit dans un de ces pays. Avec tendresse et humour, elle raconte son quotidien : les démêlés de ses parents avec le pouvoir politique, son école où on lui fait réciter des poésies à la gloire du communisme et son rêve de danser un jour à l'opéra. La réussite de ce récit est d'allier une multitude d'anecdotes croustillantes à la découverte d'un mode de vie qui paraît

lointain et qui pourtant appartient à une histoire très récente de l'Europe. "Saucisses et petits gâteaux", de Dominika Dery, Éd. J-C Lattès.

Stéphanie Janicot

LA BD dans tous ses états !

Fête de la BD

Expositions géantes, rencontres d'auteurs, cosplays, murs de dessins, animations en librairies, bibliothèques, écoles, centres de loisirs, etc. C'est la Fête de la BD du 29 mai au 5 juin dans toute la France. www.fetedelabd.com

Manga

Bonjour à tous les lecteurs de "je bouquine" !! ☺

OLIVIER ROLLER

La vie en rose

Le premier shojo – manga pour filles – français, "Pink Diary" est sorti. Rencontre avec son auteur, Jenny, une jeune mangaka de 26 ans.

JB : Comment te vient l'inspiration ?

Jenny : *Elle vient au jour le jour, minute par minute. Au début, j'ai essayé de faire des scénarii et des storyboards, mais je finissais par tout changer ! Je me suis inventé ma propre méthode de travail. J'ai mis environ six mois pour "Pink Diary". Je m'imposais un quota de planches par jour. D'abord, je prévoyais les grandes lignes de l'histoire et ensuite, ça partait tout seul ! J'ai bien eu des petits blocages, mais je ne me suis pas trop pris la tête.*

À quoi ressemble la journée d'une mangaka ?

Je me lève à 7 heures, c'est dur ! Je crayonne de 9 à 19 heures dans les bons jours, bien plus tard quand l'inspiration manque. J'ai besoin de beaucoup de calme, je dois être très concentrée sur mon travail. C'est une vraie discipline de vie.

Et l'histoire ?

Je l'ai imaginée quand j'avais 16 ans. J'ai voulu raconter des choses que j'avais vécues en les dramatisant et en les intégrant dans une histoire que j'ai inventée.

Quels conseils donnerais-tu à des jeunes qui veulent devenir mangaka ?

Du courage, de la motivation et beaucoup de travail ! Il faut allier rythme rapide et qualité des planches, et être toujours inspiré.

Et pourquoi un titre en anglais ?

Comme je n'arrivais pas à trouver un titre court en français, j'ai choisi ce titre en anglais qui veut dire "Le journal intime rose".

Leslie MORVAN

Ce qu'elle aime : raconter une histoire qu'elle a créée de toutes pièces.
Ce qu'elle déteste : se lever tôt !
Le mot le plus beau : *l'amour.*
Le mot le plus laid : *pustule.*
Le mot le plus drôle : *la daube,* c'est un plat traditionnel provençal.

© JENNY / DELCOURT

©Jenny2005

L'histoire : Depuis quatre ans, Kyoko essaie d'oublier Tommy, son ancien petit ami. Quand il débarque dans son lycée avec sa nouvelle copine, Kyoko explose de colère. Elle se confie à son journal intime, délaissé quatre ans plus tôt.

L'avis de JB : L'histoire est dynamique et cache des surprises qui seront révélées tome après tome. L'analyse des sentiments est pleine de finesse. Grâce aux dessins très expressifs et au rythme rapide de la narration, on ne s'ennuie pas une seconde. Et on attend la suite avec impatience !

☺ *"Pink Diary"* de Jenny, premier volume d'une série de 6 (Delcourt). 8,50 €

LE PALMARÈS DE JE BOUQUINE

   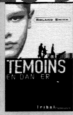    

		très facile
		facile
		moins facile

1 La question des Mughdis

d'Audren
L'école des loisirs, Médium. 9,50 €
AMOUR

Coline passe des vacances chez les Tweedy, un couple anglo-indien. Jusqu'ici, elle était amie avec Amogh, leur fils... La naissance du sentiment amoureux vue de façon originale, tendre et drôle.

2 Les carnets de Lily B.

de Véronique M. Le Normand
Thierry Magnier. 7,50 €
ADOLESCENCE (RÉED.)

Lily a quinze ans, des parents qui se séparent, et des questions plein la tête sur son identité, l'amour, la vie. Un roman juste et sensible sur l'adolescence.

3 Loulette

de Claire Clément
Bayard jeunesse. 9,90 €
FAMILLE

Après la mort de sa femme, le papi de Lou a perdu le goût de vivre. Sa petite-fille refuse qu'il aille dans une maison de retraite et décide de le kidnapper. Une histoire pleine d'émotion.

4 Témoins en danger

de Roland Smith
Flammarion, Tribal. 8 €
POLICIER

La famille Osborne doit témoigner contre le dangereux trafiquant Alonzo Aznar. Mais il a juré de les retrouver et de les faire taire... La suite très réussie de "Disparition programmée". Passionnant !

5 La bonne couleur

de Yaël Hassan
Casterman. 6,90 €
SF

Dans une société où tout est contrôlé, Max découvre qu'avant, les hommes avaient plus de liberté. Révolté, il décide de se battre... Une métaphore de la dictature qui fait froid dans le dos !

6 Donjon maudit

d'Yves Hughes
Gallimard jeunesse, Hors-Piste. 8,50 €
MYSTÈRE

Le chevalier Hugues et son valet Millefeuille arrivent dans un château sur lequel plane une étrange malédiction : des hommes disparaissent de façon inexplicable... Une enquête palpitante et pleine d'humour.

7 Les brûlures du jour (De jour en jour)

d'Hubert Ben Kemoun
Nathan poche. 4,95 €
DRAME

Romain et Sabine ont la chance de jouer "Le Cid" avec un metteur en scène célèbre. Mais bientôt, tout bascule ! La tragédie se joue sur scène, mais aussi dans la vie... Une série attachante sur un groupe de collégiens.

8 La cavalière des étoiles (Kerri & Mégane)

de Kim Aldany
Nathan poche. 4,95 €
SF

Kerri, Mégane et leurs amis vont participer à une course intergalactique. Mais leur cheval favori pourra-t-il battre le nouveau cybercheval ? Pour les amateurs d'équitation, une aventure facile à lire...

Ces livres sont tous des choix de la rédaction

Sélection : Jessica Jeffries-Britten et Malika Ouazi

J'AI LU, J'AI AIMÉ – J'AI LU, J'AI PAS AIMÉ

J'AI LU

Camille, 14 ans
J'ai eu un énorme coup de cœur pour *"Au bonheur des Dames" d'Émile Zola.* Le style est aisé, on ressent les émotions du personnage, on se sent humilié en même temps que Denise, et même si les mentalités ont changé depuis l'époque où ce roman a été écrit, on comprend. Les descriptions techniques sont parfois un peu longues, mais c'est un livre génial, géant, énorme. À faire lire à tous les réfractaires aux classiques !

MANU BOISTEAU

JAMES BONK
DE PAUL MARTIN ET MANU BOISTEAU

En milieu hostile

FLIPPO, J'AI ENFIN UNE MISSION POUR VOUS...

PAS TROP TÔT...

IL S'AGIT D'INFILTRER UN MILIEU QUI NOUS EST HOSTILE...

VOTRE PHYSIQUE ET VOS CAPACITÉS SERONT UN ATOUT CONSIDÉRABLE !

UNE BASE NAVALE ? UN LABO SOUS-MARIN ?

ALORS COMME ÇA, VOUS ÊTES NOUVEAU À HOLLYWOOD ET VOUS CHERCHEZ UN RÔLE POUR VOTRE DAUPHIN APPRIVOISÉ ?

VOILÀ !

GRMBL...

ALLÔ PROF ! TOUT S'EST DÉROULÉ À MERVEILLE... JUSQU'À CE QUE FLIPO SOIT MIS AVEC LES AUTRES DAUPHINS...

EXACTEMENT CE QUE JE CRAIGNAIS... IL A RETROUVÉ SES ANCIENS AUTOMATISMES

FAITES ÉVACUER LE DELPHINARIUM, J'ARRIVE !...

ÉVIDEMMENT. ON N'OUBLIE PAS 30 ANS DANS LA NAVY SI FACILEMENT...

BANDE DE LOPETTES ! EN RANG !

JE FERAI DE VOUS DES HOMMES !

MON COLONEL, LA RÉUSSITE DE NOTRE MISSION EN DÉPEND...

GRMBL...

VOUS DEVEZ LE FAIRE ! VOUS EN ÊTES CAPABLE, JE LE SAIS !...

OK OK... MAIS TOUT DE MÊME...

... DU POISSON CRU, POUAH ! VOUS NE POUVEZ PAS ME FAIRE AU MOINS UNE SOLE MEUNIÈRE ?...

EEEK!

EEEK!

EEEEEEK!

BANDE ANNONCE
Marie-Antoinette

Tourné dans le plus grand secret au château de Versailles, le nouveau film de Sofia Coppola évoque la vie de la reine d'origine autrichienne, épouse mal-aimée de Louis XVI, guillotinée en 1793.

"Pâle, blonde, délicieuse", c'est le portrait de la jeune reine telle que ses contemporains la décrivaient. Kirsten Dunst est donc la Marie-Antoinette idéale ! Elle impose dans ce film son charme et sa grâce.

L'aristocratie est un monde en train de connaître ses derniers feux. Dehors, la pauvreté règne et la révolte gronde, le peuple français va bientôt faire la Révolution.

© Leigh Johnson

🙂 C'est une gamine joyeuse que l'on casse comme une poupée (les contraintes de la cour, le désintérêt d'un mari, l'enjeu de donner un héritier au trône de France...). Une petite fille riche qui passe du rose au noir, de l'insouciance à la conscience. Kirsten Dunst, radieuse, s'impose comme une grande actrice. Et, des décors aux costumes en passant par la musique (mélange de classique et de rock), tout est spectacle ! **Un film de Sofia Coppola avec Kirsten Dunst, Jason Schwartzman, Asia Argento, Rip Torn. Sortie le 24 mai.**

Ciné

:) Fashion victims
KAMIKAZE GIRLS

Passionnée par le style "rococo" et la France du XVIIIème siècle, la lycéenne Momoko rencontre Ichigo, chef de gang chevauchant une moto. Entre la poupée vêtue de dentelles et la passionaria en cuir, l'amitié est immédiate. Adapté d'un roman japonais à succès, ce film déjanté part dans tous les sens : fable, manga, parodie et un soupçon de n'importe quoi. Ça décoiffe !

■ De Tetsuya Nakashima. Sortie le 14 juin.

3 QUESTIONS A WOLVERINE :
X-Men, l'affrontement final

Hugh Jackman, c'est notre X-man préféré : Wolverine. Il revient avec ses griffes et son air pas commode. Mais avec nous, il a été supergentil.

Vous avez déjà rêvé d'avoir des superpouvoirs ?
J'aurais adoré accélérer le temps pour que les cours finissent plus vite ! Je n'étais pas un fan de l'école. Je préférais aller surfer. J'avais aussi la lubie de voler, pour voyager et voir le monde. Bref, j'avais le pouvoir de rêver !

Votre superhéros préféré ?
J'aimais Superman parce qu'il vole ! Et j'adorais ses fringues moulantes bleue et rouge ! Et il avait plus d'humour, que Batman.

Jouer un mutant a changé votre vision des choses ?
Je ne crois pas. Je n'ai pas attendu de jouer Wolverine pour défendre la tolérance et le droit à la différence !

Propos recueillis par G. Lebellego

ET AUSSI

(?) "On va s'aimer" est une comédie sentimentale, aux acteurs à la mode et aux chansons ringardes ! Sympathique. (Sortie le 14 juin)

:) Pour "La maison du bonheur", son premier film de réalisateur, Dany Boon s'offre le rôle d'un radin qui achète une maison et entame des travaux pharaoniques. (Sortie le 7 juin)

(?) "Cars–Quatre Roues" c'est le nouveau dessin animé des créateurs de "Toy Story". Il a pour héros une voiture qui ne rêve que de courses de vitesse et de trophées. Avec les voix de Guillaume Canet et Cécile de France. (Sortie le 14 juin)

(?) Dans "Scary Movie 4" (photo 2), on prend les mêmes et on recommence, pour se moquer de "La Guerre des mondes", "Le Village" ou "Saw"... (Sortie le 21 juin)

(?) Avant de découvrir notre champion du monde en acteur de cinéma (il aura un rôle dans le prochain Astérix !), nous allons pouvoir revivre les grands moments de sa vie dans "Zidane, un portrait du XXIe siècle" (photo 1). (Sortie le 24 mai)

SKYLAND
Le choc !

De la science-fiction, jolie et
intelligente, en dessin animé,
en feuilleton, le tout à la télévision ?
Si si, c'est possible et sur France 2 !

L'histoire : 2451... La Terre n'est
plus qu'un tas de blocs dérivant dans
l'atmosphère. L'eau est la matière
la plus précieuse. Et c'est la Sphère,
un gouvernement dictatorial, qui fait
régner l'ordre dans ce monde étrange.
Les héros de cette histoire sont Mahad
et Léna, deux adolescents intrépides.
Le premier est un casse-cou insolent
et frimeur. La seconde, plus réfléchie,
dispose de pouvoirs psychiques
impressionnants. Tous les deux, après
avoir rejoint la rébellion qui lutte
contre la dictature, sont à la recherche
de leur mère, détenue dans les geôles
de la Sphère.

L'avis de JB : Chaque épisode
dure 26 minutes et joue sur le
rythme action/aventure, avec
un message écologique clair et
des rebondissements dignes
des thrillers de science-fiction...
L'animation est d'une fluidité
incroyable. Et puis, vous avez vu ces
images, ces décors ? Rythmé comme
du *Star Wars*, beau comme un film de
Miyazaki... *Skyland* n'a qu'un défaut :
une demi-heure par semaine, c'est
trop frustrant !
☺ Tous les samedis à 11 heures,
sur France 2, dans KD2A. Une série
réalisée par Emmanuel Gorinstein.

Musik par Emmanuel Viau

FRER 200 : Rencontre du 3ème type

Extra-terrestres, ce trio de rappeurs français ? C'est ainsi qu'ils se présentent ! Délirant, drôle, léger, inventif... "Andromède", leur nouvel album, est un vrai coup de cœur. Rencontre en orbite.

Sur Terre, on a toujours eu peur des extra-terrestres : à quoi ressemblent les Andromédiens ?
Notre peuple est particulier... Nous brillons à la fois par notre intelligence et par les gros bijoux que nous portons tous ! En arrivant sur Terre, nous avons d'ailleurs été choqués par ce que vous appelez "la discrimination" : chez nous, tout le monde est beau, bronzé, à la mode. Il n'y a pas de problème d'argent et personne n'est montré du doigt. Il n'y a pas de différence entre les garçons et les filles.
Donc, pas de problèmes de rencontres, ni de drague !

Alors, pourquoi venir sur Terre ?
Chez nous, nous sommes des super stars, nous n'avions plus rien à prouver là-bas.
La Terre est donc plus amusante car elle nous donne l'impression de repartir à zéro.
Et puis, sur notre planète, les paroles des chansons ne sont pas forcément intéressantes, car les gens sont facilement heureux : pas de manif, pas de grève...
Sur Terre, le sentiment d'injustice peut parfois pousser les artistes à prendre la parole.

FRER 200 "ANDROMÈDE" (NOCTURNE) ☺

Dans leur disque, les FRER 200 déroulent des histoires délirantes (vous avez lu l'interview ?) et ponctuent leurs paroles d'étranges petits cris venus d'ailleurs. Rap tango, hip hop de la jungle, leçon de danse : vous allez vous retrouver dans un tas d'ambiances festives, pas très éloignés du Saïan Supa Crew. Créatif, intelligent et surtout différent !

Quel est le rôle de la musique sur votre planète ?

Elle accompagne tous les faits et gestes de l'Andromédien. À l'école, on nous apprend qu'il faut écouter tous les genres musicaux pour se forger une opinion, des goûts. La musique est notre meilleure amie, elle est vitale, elle est comme le soleil sur Terre. Sans elle, pas de vie ! Andromède est une sorte de sono alimentaire et nous organisons de grands festins où nous dégustons ensemble de la musique.

Des festins musicaux ! Un exemple de plat typique ?

Le "Floust", un célèbre et ancestral plat en sauce dont l'ingrédient principal est

le "gibouste". C'est un petit animal que l'on cueille au début d'octobre, qu'on laisse faisander trois ou quatre saisons. On le consomme entre amis, en écoutant FRER 200. Le plat change de goût selon le morceau de musique que tu écoutes. C'est là toute la magie de l'art culinaire andromédien !

Quel est le point faible de l'Andromédien ?

On ne peut pas composer le dimanche ! Même s'il est très doué, l'Andromédien ne doit pas composer ce jour-là sous peine de produire un navet. C'est une règle d'or sur notre planète. Ceux qui ont essayé s'en sont mordus les doigts ! C'est ce qu'on a coutume d'appeler chez nous "le bide du dimanche après-midi".

Que voudriez-vous changer sur Terre ?

Tout est payant, c'est injuste ! On aimerait bien que tout le monde ait accès à la musique de façon naturelle, que les Terriens partagent leurs biens comme ça se fait sur Andromède. Et que les jeunes aient plus confiance en eux, c'est important. Il faut regarder les choses positivement et arriver à oublier ce que les autres pensent de toi. Être libre, quoi !

Propos recueillis par A. Richard

MANU BOISTEAU

QUI SONT LES FRER 200 ?

FEEBLE

Ses amis disent de lui :
"Il est très ponctuel. Si on le fait attendre, il devient fou !"
Ses peurs : "Rester dans l'underground musical terrien toute ma vie : Dieu du rap, aidez-nous à sortir de l'ombre !"

GYSTÈRE

Ses amis disent de lui :
"Il suffit qu'il voit une fille pour oublier tout ce qu'il se passe autour de lui !"
Ses peurs : "Devenir chauve et voyager en vaisseau spatial, une vraie phobie !"

COMBO

Ses amis disent de lui :
"Il a de l'or dans les mains, mais refuse d'enregistrer ce qui deviendra forcément un tube !"
Ses peurs : "Me lever un matin en m'apercevant que je n'ai plus d'imagination !"

Musik
les chroniques du Dr. Mözz
par Emmanuel Viau

Les Chroniques de ...
la coupe du monde du rock

Chaque mois un brin brin d'actualalalité musicale par le Dr Mözz.

Très chers lecteurs de JB,

Je reçus voici peu une lettre disant : "Pourquoi ne parlez-vous jamais de Pascal Obispo ?" "Mais c'est parce que je suis votre ami !", me suis-je exclamé. C'est pourquoi, j'ai préféré vous entretenir de **Grandaddy**, *de* **Cassandra Wilson**, *de* **Shaka Ponk** *... Un autre lecteur me dit que la Coupe du monde de football s'avance... Et... ah, tiens un sms de Pascal O... je vous laisse. À bientôt !*

Horoscope
Les signes de force en juin.

Balance : Obispo en juin, Pagny n'est pas loin. Vous qui pensiez à l'exil, il est temps de passer à l'acte.

Scorpion : Attention ! Là ! Derrière vous !

Sagittaire : Vous êtes tellement à plat qu'il ne vous reste plus qu'une seule chose : l'electropunkrock de Shaka Ponk "Loco con da frenchy talkin". La sensation électroque de l'année ! ☺

Pop-Folk
Grandaddy
Écouter la musique de ce groupe californien, c'est un petit peu comme si on partait surfer sur les nuages, au-dessus des vertes collines. Grand voyage mélancolique.

"Just like the family" ☺

Blues/soul - Cassandra Wilson
Découvrez cette chanteuse venue du jazz, et prenez-vous la gifle de votre vie. Sa musique, entre soul funk et blues va vous envelopper les oreilles et vous nouer les entrailles. Super bon. ☺ *"Thunderbird "*

World – Angelique Kidjo, Corneille, Youssou n'Dour ...
Cette compilation regroupe des titres de quelques-uns des plus grands artistes africains. En achetant ce CD, vous vous faites plaisir, et vous soutenez une association qui aide les enfants soldats à redevenir... juste des enfants. ☺ "No child soldiers"

Electro – Massive Attack
Ce n'est pas la première fois que nous parlons d'eux dans JB. À chaque fois, nous avons dit que c'était sombre, mystérieux, planant, beau, envoûtant. Cette compil vous permettra de le constater. L'un des groupes majeurs de la fin XXᵉ – début XXIᵉ siècle. ☺ "Collected"

Variété – Pascal Obispo
J'ai voulu être gentil et écouter le nouveau Pascal Obispo. Mais je suis trop méchant pour en parler. Le pauvre, il va encore être déçu. ☺ "Les Fleurs du Bien"

sms « Hé Mözz... T'as vu mon look ? T'as entendu ce que je chante ? T'as vu comment je danse dans mes clips ? Et t'essaies de me faire passer pour un ridicule ? Tu me le paieras cher, Mözz. Je vais écrire une chanson sur ta méchanceté et ça sera bien fait pour toi » Message reçu de Pascal O. Effacer SmS oui non.

débat

Vos plus belles émotions au cinéma...

Attention, sortez vos mouchoirs, ça va mouiller. Plus que la peur, le rire ou la colère, ce sont... le chagrin et les larmes que vous préférez !

Ça fait pourtant 20 fois que je le vois, mais ça me fait toujours autant d'effet...

SALLE 2
TITANIC

Moi, c'est en voyant "Le Tombeau des Lucioles". Ce film d'animation japonais m'a vraiment BEAUCOUP touchée ! Une larme à la seconde, mon ventre se noue... sniff, je ne peux pas aller plus loin... je vais créer une pataugeoire.   *Perrine, 12 ans et demi*

Mes plus belles émotions sont celles que j'ai eues en regardant "Joyeux Noël" : beaucoup de larmes et un brin de rire.   *Aglaï, 14 ans*

J'ai adoré "Carnets de voyage", un film sur Ernesto Che Guevara qui dénonce la misère de certaines personnes. À la fin, on a la larme à l'œil et un profond sentiment de "nullitude".   *Marou, 15 ans*

Je ne sais pas si vous avez vu "Ray", un film sorti l'année dernière sur la vie, très triste, de Ray Charles.   *Constance, 12 ans*

"Titanic" est de loin le film le plus émouvant de tous. Je l'ai vu et revu, j'ai rêvé, sursauté, pleuré... Un film merveilleux !   *Louloutte*

Moi, je n'ai pas arrêté de pleurer dès le début de "Deux Frères". C'est trop triste !   *Lilicops*

"Million dollars baby"... À partir de la moitié, je me suis mise à pleurer. Ce film est génial. *Jane*

Peu émotive, je l'ai été lors d'une scène du film "Le Village". Par de l'effroi !   *éléN*

J'ai adoré "Stand by me". Dans ma classe, tout le monde l'a adoré : exceptionnellement triste mais rempli d'humour !   *Megh'n'Seno4ever*

Je crois que c'est le film "La vie est belle". J'ai pleuré comme une madeleine.   *Libellule*

Il existe d'autres émotions sur le grand écran que le rire ou les larmes. Ainsi, je considère comme une émotion le fait de "ressentir" que telle scène, telle image ou telle réplique vous plaît : là, vous avez envie de plonger dans l'écran. J'ai ressenti ça avec "Harry Potter 4", dans la scène du dragon.   *Ze-gobou*

Prochain débat : Avez-vous déjà été choqué par un artiste (chanteur, acteur, écrivain, illustrateur etc...) ? Lequel et pourquoi ? Donnez votre avis avant le 15 juin, par courrier, par mail ou sur www.okapi-jebouquine.com

test

C'est une première mondiale : un double-test sur trois pages ! Si vous répondez sincèrement aux questions, il saura faire surgir l'artiste qui au plus profond de vous, habite, s'agite et cogite. Répondez, vite !

Quel(le) artiste êtes-vous ?

partie 1

Mode d'emploi

C'est simple : répondez au premier test. Après, faites le deuxième, celui qui court au bas de la page. Croisez les deux résultats et vous saurez comment exprimer le mieux votre sensibilité.

1] Vos couleurs préférées :
a – gris, blanc, noir.
b – gris, bleu, jaune
c – rouge, noir, vert
d – blanc, vert, bleu

2] Le regard qui vous va le mieux :
d – rêveur
a – pensif
c – noir
b – aux aguets

3] La rubrique que vous lisez en premier dans JB :
b – Marion / Les actus "livres" et "cinéma"
d – Le roman / La BD littéraire
a – Mots & co / Micro nouvelles / BD d'humour
c – BH-MH / les actus "musique"

1] Un bon outil de création :
b – un pinceau
a – une page blanche
c – le corps

2] Ce qui est important pour créer :
c – une belle voix
b – une main habile
a – une tête pleine

3] Un bon endroit pour créer :
a – dans sa chambre
b – dans la nature
c – sur une scène

PARTIE 2
(une seule réponse possible)

Quel(le) artiste êtes-vous ?

4] Le mot que vous utilisez
le plus souvent :
a c – non
b d – oui

5] Ce qui vous fatigue vraiment :
a – ne rien faire
b – trop réfléchir
c – faire comme tout le monde
d – faire trop de choses

6] Un métier qui vous plairait :
d – astronaute
c – océanographe
a – chercheur
b – psychologue

PARTIE 2
(une seule réponse possible)

4] Un artiste
moderne dont vous
vous sentez proche :
b – Zep
c – Gad Elmaleh
a – Cali

5] Une œuvre classique
que vous aimeriez bien
découvrir en détail :
a – "Les Misérables" de Victor Hugo
b – "La Joconde" de Leonard de Vinci
c – "Le Requiem" de Mozart

test

7] Votre pratique culturelle préférée :
a – expo
c – concert
d – lecture
b – télé/ciné

8] Les gens qui vous prennent vraiment la tête :
b – ceux qui aiment manipuler les autres
c – ceux qui sont incapables d'avoir une opinion
a – ceux qui sont fiers d'être ignorants
d – ceux qui sont incapables de rêver

9] Un endroit que vous aimeriez bien visiter :
b – la maison de votre voisin
a – au-delà des limites de l'Univers
c – la Terre avant l'apparition de l'Homme
d – les Terres du Milieu

Majorité de (A) – Vous êtes dans l'Idée, à la recherche de nouvelles voies dans des concepts très abstraits de l'Art. Découvreur, expérimentateur... vous êtes un avant-gardiste ! Ce que vous inventez maintenant sera copié le mois, l'année ou le siècle prochains. Attention, trop de froideur ou trop d'intelligence vous éloignent du grand public qui n'hésitera pas à vous traiter d'intello !

Majorité de (B) – Vous êtes le chroniqueur du quotidien. Amour, tendresse, cafard, amitié..., votre matière première, ce sont les faits, les émotions et les sentiments. Vous êtes proches des gens, vous les aimez et vous savez saisir les beaux instants pour les retranscrire à tous. Attention, on pourrait vous reprocher votre manque d'envergure et d'originalité.

Majorité de (C) – Que ce soit la vie dans les cités, la vie des animaux vivisectés ou la vie de la planète, vous n'aimez pas la façon dont fonctionne le monde. Vous êtes prompt à vous enflammer, et vos œuvres contrastées, enthousiastes ou colériques, ne sont pas loin, parfois, de la provocation. Attention : vous protestez un peu trop contre tout et tous... Critiquez moins, agissez plus.

Majorité de (D) – En inventant une nouvelle réalité ou en transformant l'actuelle, vous arrivez à éloigner les gens de la routine grise/noire du quotidien. C'est votre objectif : les faire rêver, les amuser et/ou les faire danser. Attention : en planant trop haut, vous vous déconnectez de la réalité et on pourrait ne plus vous suivre.

Conception : Emmanuel Viau

Majorité de (A)
Vous êtes un artistes de l'écrit !
Les mots sont votre meilleur moyen d'expression : vous travaillez sur des poèmes, des chansons, des romans, des scenarii. Ecrivez un blog, un journal intime ou des lettres et surtout... lisez, ce sera votre meilleure école !

Majorité de (B) **Vous êtes un artiste de l'image.** Votre œil et votre main transforment votre sensibilité en forme et en couleur ! Peintre, illustrateur, photographe, cinéaste, décorateur... vous commencez déjà à vous entraîner dans les expos, au cinéma, dans les magazines et... avec un crayon en main !

Majorité de (C) **Vous êtes un artiste du corps.** Que vous soyez musicien, danseur, comédien... c'est tout votre corps qui entre en jeu dans vos créations. Votre voix, votre regard... c'est par eux que vous toucherez votre public. Mais il vous faudra lire, écouter, regarder tout ce qui se passe autour de vous pour donner de l'âme à ce que vous faites !

6] Quelque chose que vous avez vraiment trouvé mauvais :
c – le spectacle "Le Roi-Soleil"
b – le dernier Astérix "Le ciel lui tombe sur la tête"
a – les textes de Raphaël

7] La dernière activité culturelle que vous avez pratiquée :
a – lecture
c – spectacle
b – cinéma

Manipulation diététique

t'as remarqué que ça fait 5 jours qu'on mange exactement les mêmes trucs ?

ben et alors ?

ben alors c'est pas bon pour l'organisme...

normalement faudrait varier les aliments !

PFF !

c'est débile ! regarde, moi depuis la maternelle je bouffe que des frites et des bonbecs !

'''pis je me porte comme un charme !

eh oh ! je peux savoir pourquoi tu me regardes comme ça ?

je te regarde comme ça parce que tu viens de mettre le doigt sur le problème !

quel problème ?

ben t'as vu comme t'es petit ? pis regarde un peu l'épaisseur de tes lunettes...

et encore je parle pas de tes allergies à l'eau...

si t'avais eu une alimentation équilibrée, aujourd'hui tu serais pas comme ça...

enfin bon... il est peut-être encore temps de rattraper le coup...

c'est incroyable l'imagination qu'il a quand il décide de me faire culpabiliser pour que j'aille faire les courses...

MARION LE FEUILLETON
FANNY JOLY/CATEL

mon ♥ PRINCE…

Félix forever

Attends Camille, je ne voudrais pas te vexer, mais c'est la COMBIENTIÈME fois que tu me racontes que tu as **rencontré l'homme de ta vie ?** J'aurais dû les compter…

Assises au soleil sur la pelouse du square Jules Goumic, un sac de cerises à portée de main, ma meilleure amie et moi sommes en plein **mercredi papotage.**

– Quand on aime, on ne compte pas, **je t'apprendrai !** rétorque Camille fermement.

Que je le veuille ou non, je saurai TOUT sur son nouveau prince charmant, celui qu'elle a rencontré (ou plutôt croisé) hier soir à un concert de *Julius et Tarita*, au Zénith de Paris. Un Italien (du moins, c'est ce qu'elle

suppose), **beau comme un héros** (ça c'est officiel, elle me le répète sur tous les tons depuis une heure). Elle n'a pas clairement identifié la couleur de ses yeux, mais il porte des chaussures Catalino dernier modèle et **ses cheveux sont "trop-trop beaux".** Pendant l'avant-dernière chanson, il lui a souri. Elle a même vu ses lèvres bouger comme s'il lui parlait, mais la musique était trop forte, elle n'a pas réussi à comprendre ce qu'il disait. Ensuite, "des gens" ont fait signe au prince charmant en criant : "Barnabéo" ou "Bernardo" ou peut-être "Bartoloméo"… et pfffttt : il a disparu.

– Et ça te suffit pour imaginer que c'est "l'homme de ta vie ?" Tu délires !

– On va se revoir, je le sais, je le sens, affirme ma copine, solennelle.

– Ah ouais ? Et comment tu vas t'y prendre pour le retrouver sans connaître son nom ni son adresse ?

– T'en fais pas pour moi, j'ai mon plan !

Pas besoin de la pousser pour qu'elle me détaille le plan en question. Parmi "les gens" qui lui ont arraché son "Barnabéo-Bernardo-Bartoloméo", Camille a reconnu une fille du lycée. Elle compte la guetter demain à la sortie et lui demander le téléphone du héros.

– Et si c'est la petite amie de "l'homme de ta vie" ?

Un instant de perplexité. Camille me lance un regard noir. Manifestement, son plan n'incluait pas cette éventualité. J'ai cassé son rêve.

– Ben... euh... Je lui raconterai un bobard, genre qu'il a perdu son... sa casquette et que je l'ai ramassée et que je veux lui rendre... Et quand je serai en tête à tête avec lui...

– Et si la fille te demande la casquette pour lui rendre elle-même, tu fais quoi ?

Ma copine crache un noyau de cerise qui me passe au ras de l'oreille droite.

– T'as décidé de jouer les rabat-joie, Marion ?

– Et toi les cœurs d'artichaut, Camille ?

– Par moments, je me demande si t'es vraiment mon amie. **Ça te défrise que je sois heureuse ?**

– N'importe quoi ! Primo, je ne suis pas frisée. Deuxio, c'est justement parce que je veux te voir heureuse que j'essaie de t'empêcher de...

– Salut les copines ! Miam... des cerises !

Notre discussion est interrompue par l'arrivée de Laura. Jupette fleurie, mine réjouie, elle se pose entre nous et plonge la main dans le sac de fruits.

– Vous faites quoi ?

– On discute, je murmure d'une voix morne.

Laura nous dévisage l'une après l'autre.

– Ça a pas l'air rigolo, votre discussion... Vous parlez de quoi ?

– Oh, de rien d'important. Tiens, tu as acheté le dernier numéro de *Lolita* ? se dépêche d'enchaîner Camille, qui ne semble avoir aucune envie d'élargir la discussion.

Elle saisit le magazine qui dépasse du panier de Laura et s'y plonge comme si sa vie en dépendait.

– Hyperjoli, la mode d'été ! s'exclame-t-elle dans la foulée.

Laura se penche sur son épaule.

– Montre ! J'ai même pas eu le temps de jeter un coup d'œil ! Mmmh, comment il est craquant, ce débardeur à volants !

– Et le chapeau à pois, t'as vu ?

Elles tournent les pages avec avidité.

Je les regarde en me demandant laquelle est la plus coquette. Moi, le rayon mode ne me concerne pas vraiment. Mon budget vêtements se réduisant au strict minimum, le meilleur moyen que j'ai trouvé de ne pas trop souffrir est de limiter mes envies. Brusquement, Camille s'arrête sur une double page.

– Ça alors ! Un test sur : "EST-IL L'HOMME DE VOTRE VIE ?" C'est un signe !

– Un signe de quoi ? questionne Laura sans comprendre.

– C'est de la blague ces tests, je soupire.

Au regard que me lance ma meilleure amie, je sais qu'on n'y échappera pas.

– J'adooooore les blagues. Allez, on le fait ! s'emballe-t-elle.

C'est parti. Crayon en main, elle commence à nous faire la lecture.

– Question numéro 1 : où a eu lieu votre première rencontre ?

a) Lors d'une croisière romantique.
b) Chez des amis au coin du feu.
c) À la bibliothèque de votre quartier.
d) Sur un terrain de squash.

– Et si c'est aucune des quatre réponses ? s'inquiète Laura.

– On répond ce qu'on préférerait, on s'en fiche que ce soit vrai ou pas.

– Dans ce cas-là, ça ne veut rien dire !

– Bien sûr que si ! Nos préférences, ça veut TOUT dire, au contraire !

Camille n'hésite pas une minute : pour elle, ce sera la croisière romantique. Je m'en serais doutée. Mes pensées, comme malgré moi, voguent vers le Félix de tous mes rêves… (le meilleur ami de mon frère est le garçon le plus irrésistible qu'il m'ait été donné d'approcher). De loin, hélas, de toujours trop loin, sans espoir de se rapprocher. *Avec Félix, tout me plairait. Même le squash (moi la sous-douée en sport), même la bibliothèque (moi qui ai toujours mieux à faire que lire). Évidemment… le coin du feu serait encore plus délicieux !*

– Je prends le coin du feu, annonce Laura, me coupant le fantasme sous le pied.

Je ne vais quand même pas jouer les copieuses.

– Bon ben, pour moi, t'as qu'à mettre la bibliothèque…

– L'air dégoûté que tu prends pour dire ça, Marion, on le saura que t'aimes pas les tests ! glousse Camille en se précipitant sur la suite. Alors, question numéro 2. Vous laissez brûler le gâteau que vous avez préparé. Quelle est sa réaction ?

a) Il en reprend trois fois et affirme le trouver délicieux.
b) Il le jette à la poubelle en disant que ça tombe bien, car vous avez des kilos à perdre.

c) Il vous aide à refaire un gâteau.
d) Il vous emmène dans une bonne pâtisserie et vous offre tout ce qui vous tente.

– La pâtisserie ou le gentil qui en prend trois fois ?

Pendant que Camille réfléchit tout haut, je m'imagine cuisinant en compagnie de Félix. Il me noue un tablier dans le dos. On fait fondre du chocolat, il lèche le plat, moi la cuiller en bois…

– Je choisis "a"… tranche Camille. **Et toi, Marion ?**

Avant que j'aie le temps d'atterrir, encore toute barbouillée de chocolat, Laura me pique la réponse "c". Il me reste le régime poubelle ou la balade à la pâtisserie. **Bras dessus, bras dessous avec Félix, je m'envole** vers la vitrine de Robillard, le meilleur pâtissier d'Issy-les-Moulineaux.

– Tu veux vraiment m'offrir des gâteaux, Félix ? Je risque de grossir ! Je roucoule.

– Voyons Marion, me susurre-t-il à l'oreille, tu peux tout te permettre. Fais-moi plaisir, déguste cette religieuse au café, cette tarte au citron meringuée, ce…

– Hou hou ! Tu rêves ?

Camille me tape sur l'épaule. Elle ne croit pas si bien dire.

– Non… Euh… Je prends le régime, réponse "b" ! C'est coché.

– Question 3. Vous lui écrivez une lettre d'amour, par quels mots commencez-vous ?

a) "Mon Roméo…"
b) "Amour de ma vie…"
c) "Salut Beau Gosse…"
d) "Devine qui t'écrit ?"

– Franchement, c'est débile ! Jamais je ne commencerai une lettre par des mots pareils ! je proteste.

– Dis plutôt que t'as jamais écrit une lettre d'amour de ta vie ! me balance Camille.

Je déteste son sourire narquois qui me donne l'impression d'être une gamine débile. **– Hé ho calme-toi ! C'est pas parce que t'as loupé ton Roméo-Barnabéo-**

Bernardo-Bartoloméo-en-chaussures-Catalino que j'ai pas le droit de donner mon avis sur ton test de crotte !

Les yeux de Laura clignotent.

– Hein ? C'est qui ce Roméo ? Je le connais ?

– Non, il vient de sortir ! C'est le nouveau chouchou de Camille cœur d'artichaut. Le seul problème, c'est qu'elle ne sait même pas son nom, elle l'a juste aperçu dans un concert au milieu de cinq mille personnes ! je persifle.

Laura éclate de rire. Serais-je drôle ? Si j'en juge par la mine furibarde de Camille, c'est pas gagné.

– Ma pauvre Marion, tu ne comprends vraiment rien à l'amour. D'ailleurs, depuis le temps que tu nous bassines avec ton Félix-gna-gna-gna, tu n'as jamais été capable de lui dire autre chose que "bonjour-bonsoir" ! Et encore moins de lui écrire ! Et toi, Laura, arrête de rire ! Quand on est capable d'embrasser Mouillaud et son appareil dentaire…

"Félix-gna-gna-gna" ! Camille a dit : "**Félix-gna-gna-gna**" ! Je n'entends plus rien. Je n'entends plus que ça. Laura se lève et pointe un index menaçant vers Camille.

– Toi, tu commences pas avec Mouillaud, hein ! J'ai un amoureux et c'est pas du tout Mouillaud, je te ferai savoir ! C'est quelqu'un que vous n'avez jamais vu ! Il est super grand et super beau et super intelligent et il a une moto et tout et il a 17 ans ! Et il s'appelle, euh… Joachim !

Joachim ? Première nouvelle. Camille me saisit le bras.

– Marion ! Tu vois ce que je vois ? Regarde qui se promène là-bas ? **TON FÉLIX ! Je vais aller lui dire que tu l'aimes, que tu rêves de lui jour et nuit, que tu t'es fait tatouer son prénom sur la fesse gauche.**

La terre se dérobe sous mes pieds. Mon cœur cogne comme une essoreuse à salade. Félix ! Où ça ? J'ai beau tourner la tête de tous les côtés, je ne le vois pas…

– J'y vais ! répète Camille.

– Arrêêêête ! je rugis. Si tu fais ça, je te parle plus, plus jamais, je…

– Tu m'as crue, hé, patate crue ! Y a pas plus de Félix que de Père Noël, je te fais marcher et toi tu galopes ! hurle ma copine, morte de rire.

Laura se gondole à son tour. Vous appelez ça de l'amitié ? *Moi, j'appelle ça de la vacherie, de la cruauté, de la… J'ai la rage et la honte mêlées. Je voudrais m'enterrer sous le gazon.*

Mais tout à coup, Camille blêmit.

– Les filles, les filles, je rigole plus, là, là...

– Quoi ? Quoi ?

– Mon Italien ! Qui marche là-bas ! Ce coup-ci, c'est pas une blague ! C'est LUI !

Elle nous laisse les cerises, prend son sac, ses jambes à son cou, traverse le square comme un éclair. Les gens la regardent bizarrement. Elle s'en moque.

– Elle est folle ! murmure Laura.

– Non, amoureuse ! je corrige.

Laura et moi, on retombe telles deux méduses sur le gazon. Au loin, Camille rejoint son Italien. Elle lui tape dans le dos. On regarde la scène comme à la télé. Il se retourne. Ils échangent des mots. Gestes. Rires. Il désigne la rue. Un café ? OK ! Ils partent tous les deux du même pas. Comme s'ils se connaissaient depuis toujours. Ça semble si simple... **Jalouse, moi ? Jamais !** Vraiment ? Arrête de te mentir, Marion ! Je me tourne vers Laura. La fête est finie. Sur ses lèvres à elle aussi, il y a comme une moue amère.

– Bon, ben... On va y aller...

– Ouais...

– Au fait, je voulais te demander : c'est vrai, ton histoire de Joachim ?

- Euh... non.

J'arrive à la maison dans un état proche du désespoir. Charles est installé dehors dans un transat, peinard, sirotant un drink où tintent des glaçons.

– Qu'est-ce qui se passe ? Tu te déguises en chouette ?

Je réponds par une grimace. **Mon Rimmel n'est pas waterproof** et mon frère est le dernier à qui j'ai envie d'expliquer pourquoi j'ai pleuré. Je me précipite dans ma chambre. Je me jette sur mon lit. *Je suis seule au monde, incomprise, sans amour, sans amitié, malheureuse, si malheureuse...* Pendant que ma meilleure amie collectionne les aventures palpitantes, mes amours ressemblent à un électrocardiogramme plat. *Ne se passera-t-il jamais rien dans ma vie ? Félix ne s'intéressera-t-il jamais à moi ?*

Je fouille frénétiquement le tiroir où je cache sa photo. Une photo prise par hasard et par Charles, l'an dernier, le jour du relais 4 X 100 mètres* au stade Gilbert-Ballanger. Sur l'image, Félix me regarde. Il me sourit. Il ne sait pas que j'ai fait agrandir son visage pour admirer à loisir ses yeux verts, sa frange d'ange... Et si je lui écrivais ?

Perdu pour perdu, qu'ai-je à perdre ? Les lectrices de *Lolita* écrivent des lettres d'amour à tour de plume, pourquoi pas moi ?

QUOI ?

*Voir *JB* juillet 2004, Marion : "Quatre fois sans moi"

Je ferme les rideaux. J'allume une bougie. Je scotche Félix au mur. Je me plonge dans ses yeux. Une feuille. Un crayon. Une gomme.

Comment commencer ?

– "Félix" ?

Trop sec.

– *Mon cher Félix ?*

Trop classique.

– **"Mon Félix"** ❤ ?

Trop possessif.

– **"Bonjour"** ?

Trop impersonnel.

– *"Devine qui t'écrit ?"*

Trop *Lolita*.

Bon. Sautons trois lignes et laissons l'en-tête en blanc pour l'instant. Le début viendra peut-être après la suite...

Tu dois te demander pourquoi je t'écris...

C'est vrai, que suis-je pour toi ?

La petite sœur de ton grand copain.

Autant dire pas grand-chose, presque rien.

Et pourtant...

Touit Touit Touit Touit...

Comment mon téléphone ose-t-il m'interrompre en pleine inspiration, au beau milieu de ma PREMIÈRE lettre d'amour ?

Je décroche en grognant un "allô ouais" de bouledogue.

– Marion ? C'est Camille !

Devine qui je viens de rencontrer en rentrant du square ? Julio !

– Hein ?

– Mon Italien ! Il s'appelle Julio, en fait !

Elle ne va pas encore me casser les pieds avec ça, au moment où j'écris une lettre sublime à Félix. À mon tour de parler d'amour pour une fois...

– Tu vas rire ! poursuit ma copine. Un ami de Julio nous a rejoints. Tu sais comment il s'appelle ?

– Non (et je m'en fiche pas mal !)

– **Félix !** On est au café du Centre, tu veux pas venir ? Allô ? Marion ? Tu es là ?

Bien sûr que je suis là. Enfin presque.

– **Camille ? J'arriiiiive !**

TEXTE : FANNY JOLY. ILLUSTRATIONS : CATEL. COULEURS : AUDRE JARDEL

Abonne-toi !

En cadeau, cet organiser à écran tactile : répertoire téléphonique, agenda, horloge et calculatrice.

(Dimension 10,5 cm x 7 cm)

1an • 12 n°
64,80€
au lieu de ~~78€~~

PHOTO NON CONTRACTUELLE

je BOUQUINE , bien plus que de la lecture...

Autobiographie de Miss Jane Pittman

de Ernest J. Gaines. Né en 1933

Un extrait adapté par David Sauerwein • Illustré par Olivier Balez

Miss Jane Pittman est une Noire américaine. Elle a plus de cent ans quand elle raconte l'histoire de sa vie. Jane est née esclave et se souvient de son enfance sur une plantation en Louisiane, dans le sud des États-Unis. À l'époque, elle porte encore son nom d'esclave, Ticey. La guerre de Sécession, qui a opposé les États du Nord aux esclavagistes du Sud, touche à sa fin. Le Sud est battu. Un jour, des soldats sudistes, épuisés, entrent dans la propriété des maîtres de Ticey...

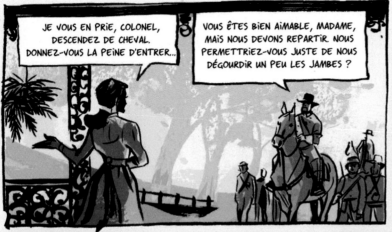

JE VOUS EN PRIE, COLONEL, DESCENDEZ DE CHEVAL. DONNEZ-VOUS LA PEINE D'ENTRER...

VOUS ÊTES BIEN AIMABLE, MADAME, MAIS NOUS DEVONS REPARTIR. NOUS PERMETTRIEZ-VOUS JUSTE DE NOUS DÉGOURDIR UN PEU LES JAMBES ?

CERTAINEMENT !

NE RESTE PAS PLANTÉE LÀ ! VA CHERCHER DE L'EAU POUR LES SOLDATS !

MMMPH !

SI C'ÉTAIT QUE MOI, J'LES RELÂCHERAIS TOUS CES NÈGRES, SI C'ÉTAIT QUE MOI...

COLONEL ! LES YANKEES !

COLONEL, ILS ARRIVENT, LES YANKEES !

A QUELLE DISTANCE ?

J'SAIS PAS EXACTEMENT. A CINQ OU SIX KILOMÈTRES PAR LÀ-BAS... TOUT CE QUE JE VOIS, C'EST UN NUAGE DE POUSSIÈRE.

MERCI, MADAME ! MERCI INFINIMENT !

MAIS IL NOUS FAUT DÉJÀ REPARTIR

DEBOUT ! EN ROUTE, COMPAGNIE !

SOLDATS...

...GARDE À VOUS !

SI C'ÉTAIT QUE MOI, J'LES RELÂCHERAIS TOUS CES NÈGRES.. LES YANKEES LES VEULENT, QU'ILS LES PRENNENT ! SI C'ÉTAIT QUE MOI...

QU'EST-CE QUE TU FAIS PLANTÉE LÀ? VA REMPLIR CE SEAU ! TU CROIS QUE LES YANKEES NE BOIVENT PAS ?

FAUT QUE JE TIRE DE L'EAU POUR LES YANKEES AUSSI ?

OUI. TU NE VEUX PAS QU'ILS TE FASSENT FRIRE POUR TE MANGER...

N'EST-CE PAS ?

NON, MAÎTRESSE.

ALORS VA ME CHERCHER CETTE EAU. ET OÙ SONT PASSÉS TOUS CES AUTRES BONS À RIEN DE NÈGRES, JE ME DEMANDE ?

ILS SONT PARTIS SE CACHER DANS LE MARAIS AVEC MAÎTRE.

ARRÊTE DE MONTRER DU DOIGT! ET TIENS TA LANGUE QUAND ILS SERONT LÀ... TU DIS UN MOT SUR TON MAÎTRE ET L'ARGENTERIE, ET JE TE FAIS ÉCORCHER VIVE.

OUI, MAÎTRESSE.

PLUS TARD... LES OFFICIERS YANKEES SONT ARRIVÉS À CHEVAL, TOUT COMME LES SUDISTES. LES SOLDATS YANKEES SE SONT LAISSÉS TOMBER AU BORD DE L'ALLÉE, TOUT COMME LES SOLDATS SUDISTES...

COMBIEN DE REBELLES SONT PASSÉS PAR ICI ?

J'AI PAS VU DE REBELLES, MAÎTRE.

ALLONS. QUI A LAISSÉ TOUTES CES TRACES ICI ?

C'EST NOUS, LES NÈGRES

AVEC TES SOULIERS ? OÙ SONT TES SOULIERS ?

JE LES AI ÔTÉS, ILS ME FAISAIENT MAL, MAÎTRE.

ON LES AURA. Y VA EN MOURIR DIX POUR CHAQUE FOIS QU'ILS T'ONT BATTUE.

Y A DIX MAISONS QUI VONT BRÛLER.

DIX CHAMPS AUSSI.

SOLDAT LEWIS ! PREND UN SEAU ET VA TIRER DE L'EAU !

VAUT MIEUX QUE C'EST MOI, MAÎTRE. ILS VONT ME FOUETTER SI JE FAIS PAS MON TRAVAIL.

J'SUIS PAS UN MAÎTRE, TICEY...

...JE SUIS LE CAPORAL BROWN. ET JE VAIS T'AP- PELER AUTREMENT QUE TICEY. C'EST UN NOM D'ESCLAVE, TICEY, ET J'AIME PAS L'ESCLAVAGE.

JE VAIS T'APPELER JANE. C'EST ÇA, JE VAIS T'APPELER JANE.

C'EST LE NOM DE MA FIANCÉE
LÀ-BAS EN OHIO.

TU AIMES QUE JE T'APPELLE COMME ÇA ?

OUI, JE CROIS QUE TU AIMES CE NOM.
À PARTIR D'AUJOURD'HUI, TU T'APPELLES JANE.
FINI, TICEY. JANE. JANE BROWN. MISS JANE BROWN.

C'ÉTAIT LE PLUS JOLI NOM QUE
TICEY AVAIT JAMAIS ENTENDU.

ET SI Y EN A UN QUI TE BAT ENCORE, TU ME RATTRAPES
POUR ME LE DIRE. JE REVIENS BRÛLER CET ENDROIT.

JANE TRAVAILLE DANS LES CHAMPS DE COTON PENDANT
TOUTE L'ANNÉE QUI SUIT... C'EST TOUJOURS LA GUERRE...

MAIS UN BEAU JOUR TOUS LES ESCLAVES DE LA
PROPRIÉTÉ SONT APPELÉS DEVANT LA MAISON...

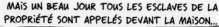

VOUS ÊTES TOUS LÀ ?

BON, J'AI UNE GRANDE NOUVELLE
POUR VOUS. VOUS ÊTES LIBRES.

LES PAPIERS DE LA PROCLAMA-
TION VIENNENT D'ARRIVER,
ILS DISENT QUE VOUS ÊTES
AUSSI LIBRES QUE MOI...

VOUS POUVEZ RESTER, OU VOUS POUVEZ
PARTIR.... A VOUS DE DÉCIDER !

LIBRES, LIBRES,
ON EST LIBRES,

OH JÉSUS,
ON EST LIBRES!

Jane va-t-elle profiter de sa liberté ? Pour le savoir, lisez "Autobiographie de Miss Jane Pittman", d'Ernest J. Gaines.

Ernest Gaines (né en 1933)
l'homme de la Louisiane

STEVEN FORSTER/AP/SIPA

"L'histoire ment."

"La sagesse vient de l'écoute."

"Les peuples du monde ne se rendent pas compte de tout ce qu'ils ont en commun."

l'homme de la Louisiane

Noir américain, né dans une famille pauvre sur une plantation de la Louisiane, dans le sud des Etats-Unis, Ernest Gaines est aujourd'hui un des plus grands écrivains américains.

Pouvez-vous nous raconter votre enfance ?

"J'étais l'aîné de 12 enfants. J'ai commencé à travailler aux champs vers l'âge de 8 ou 9 ans. Je cueillais le coton pour 50 cents par jour. Je n'avais pas le droit d'aller à l'école des Blancs. Mon école à moi, celle réservée aux enfants noirs, n'était ouverte que pendant cinq ou six mois dans l'année. J'ai été élevé par ma tante maternelle, Augusteen Jefferson. C'était une femme handicapée. Et pourtant c'est elle qui cuisinait, qui jardinait, qui lavait le linge. Je dis toujours que c'est elle, incapable de marcher, qui m'a appris à me tenir debout. La quitter, lorsque je suis parti en Californie à 15 ans rejoindre ma mère, est le souvenir le plus douloureux de mon enfance."

Le Télégramme / Max PPP

Quand avez-vous commencé à écrire ?

"En Californie, à San Francisco, j'avais le mal du pays. Mais là, contrairement à la Louisiane, je pouvais aller au lycée. Mon beau-père était très strict, il m'interdisait de traîner dans la rue. Alors j'allais à la bibliothèque où je lisais comme un fou. Les grands écrivains russes, Tourgueniev, Gogol, m'ont marqué. Puis les Français, Flaubert, Maupassant, Zola... Mais peu à peu je me suis senti frustré car dans les romans que je dévorais, je ne retrouvais jamais mon monde à moi, celui des Noirs du Sud. Alors j'ai commencé à écrire des histoires en m'inspirant de mon enfance. Encore aujourd'hui, tout me ramène toujours en Louisiane..."

Rue des Archives

Comment avez-vous créé le personnage de Miss Jane ?

"Lorsque le livre est sorti en 1971, on le prenait pour un documentaire. Comme Miss Jane parle à la première personne et en langage parlé, beaucoup de gens pensaient qu'elle avait réellement existé ! Bien sûr, je m'étais documenté parce que j'avais besoin de faits pour nourrir les aventures de Miss Jane. Mais je ne cherche pas la vérité dans les livres d'histoire. L'histoire et la vérité sont deux choses différentes. L'histoire ment. Elle ne dit pas la réalité des gens ordinaires. Lorsque j'écrivais mon roman, la voix de Miss Jane s'emparait de moi. Jour après jour, je reprenais son histoire là où je l'avais laissée la veille. Comme si j'entendais la voix de ma tante Augusteen et de toutes celles de mon enfance, de mon peuple de Louisiane..."

Bio express

1933 : Naissance d'Ernest Gaines à la plantation de River Lake, Louisiane, USA.

1941 : Ernest va à l'école primaire et travaille aux champs.

1945 : Il écrit des pièces de théâtre qui sont jouées dans l'église locale.

1948 : Il quitte la Louisiane pour rejoindre sa mère et son beau-père en Californie.

1957 : Après deux années dans l'armée, il entre à l'université.

1958 : Il obtient une bourse d'écriture à l'Université de Stanford.

1964 : Gaines publie son premier roman. Il se consacre entièrement à l'écriture.

1971 : L'*Autobiographie de Miss Jane Pittman* devient un best-seller.

1993 : Son roman *Dites-leur que je suis un homme* reçoit un grand prix. Gaines enseigne à l'université.

2006 : À la retraite, Gaines s'installe en Louisiane dans une maison tout près de l'endroit où il est né. Il se consacre à la restauration de l'église et du cimetière de son enfance.

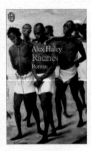

DITES-LEUR QUE JE SUIS UN HOMME ▪▪▪

E. Gaines/Éd. Liana Lévi
Années 1940, sud des États-Unis. La rencontre entre deux jeunes Noirs que tout sépare : un condamné à mort et un jeune professeur. Ce dernier n'a aucune envie de faire ce qu'on lui demande : aider le condamné, ignorant et simple d'esprit, à retrouver sa dignité avant de mourir...

RACINES ▪▪▪

Alex Haley/J'ai Lu
Capturé par des trafiquants blancs, Kounta Kinté, le Gambien, est arraché à son village et condamné à une vie d'esclave en Virginie. Une passionnante saga sur sept générations qui raconte l'histoire de la famille de l'auteur.

JE SUIS UNE ESCLAVE. JOURNAL DE CLOTÉE 1859-1860 ▪

Patricia C. McKissack
Gallimard Jeunesse
Sur une plantation de coton en Virginie, Clotée doit cacher son journal car une esclave n'a pas le droit de savoir lire et écrire...

LES ENFANTS DE LA COLLINE SACRÉE ▪

Monique Agénor
Syros Jeunesse
Enchaînés à d'autres enfants, Nora et Sahy, une fille et un garçon malgaches, sont envoyés sur l'île de la Réunion pour être vendus comme esclaves...

Dossier réalisé par Leigh Sauerwein

Pour connaître l'histoire de l'esclavage, de l'Antiquité à nos jours :
www.herodote.net/motesclave6.htm